浊水资源高效利用研究

周春生　李利荣　迟文峰　王　岳　著

中国环境出版集团·北京

图书在版编目（CIP）数据

浊水资源高效利用研究/周春生等著．—北京：中国环境出版集团，2022.9

ISBN 978-7-5111-5327-2

Ⅰ．①浊…　Ⅱ．①周…　Ⅲ．①黄河流域—水资源利用—研究　Ⅳ．①TV213.2

中国版本图书馆 CIP 数据核字（2022）第 170670 号

责任编辑　邵　葵
封面设计　宋　瑞

出版发行　中国环境出版集团
（100062　北京市东城区广渠门内大街 16 号）
网　　址：http://www.cesp.com.cn
电子邮箱：bjgl@cesp.com.cn
联系电话：010-67112765（编辑管理部）
发行热线：010-67125803，010-67113405（传真）

印　　刷　北京建宏印刷有限公司
经　　销　各地新华书店
版　　次　2022 年 9 月第 1 版
印　　次　2022 年 9 月第 1 次印刷
开　　本　787×960　1/16
印　　张　11.25
字　　数　185 千字
定　　价　48.00 元

前　言

我国西北地区面临着严重的水资源短缺，而在有限的水资源中，含有大量泥沙和高含沙量的洪水资源在利用过程中存在着诸难题，导致其利用效率较低。针对这一问题，对新型水力自动滚筒闸门进行了研究。通过水工模型试验研究表明，新型水力滚筒闸门在有泥沙淤积的情况下可实现自动启闭。为了实现自动滚筒闸门投入生产，须对作用在闸门体上的水压力进行准确地计算。闸门开启前闸体上的静水压力计算容易解决，但闸门开启后作用在闸体上的动水压力的计算，目前尚无成熟的经验可供借鉴。本研究采用模型试验、数值模拟与理论分析相结合的方法，对水流自动滚筒闸门闸体上的动水压力分布规律进行研究。主要研究内容如下：

①通过水工模型试验，研究了在上游水深、闸下开度对滚筒闸门闸体表面动水压力时均值、脉动值的影响规律。

②以物理模型为依据进行数学建模，采用数值模拟方法对水流中滚筒闸门的水力学特性进行了深入研究。通过各模型的对比分析，采用 RNG k-ε 湍流模型和水气两相流 VOF 模型，对自动滚筒闸门滚筒绕流流场进行了数值模拟。

③采用数值模拟对现有条件物理模型无法完成的工况进行数值模拟，研究了闸下开度（h）、筒顶水深（$h1$）、上游水深（H）、筒径（R）对绕流流场速度、流线、压力及其滚筒表面速度和动水压力的影响。

物理模型试验所得主要结论如下：

①沿迎水面从滚筒顶部至底部动水压力呈先增大后减小趋势，筒上、筒下均过水时，在滚筒中心线以下，即ϕ=135°附近水压力值达到最大，滚筒顶部（ϕ=0°）及底部（ϕ=180°）动水压力值较小，且底部动水压力值略小于顶部值。

②闸门开度 h 一定，滚筒闸门迎水面动水压力随闸上游水深 H 的升高而增大。当闸上游水深 H 一定、闸下开度 h 变化时，滚筒闸门迎水面动水压力在圆筒顶部至中心线范围内（$0<\phi<90°$）没有明显的变化，而在滚筒中心线以下（$90°<\phi<180°$）动水压力沿滚筒闸门表面自上而下随 h 的增加而减小，该变化趋势在ϕ=135°附近表现较明显。

③滚筒闸门迎水面各点压力脉动主频为f=50 Hz 左右，滚筒闸门顶部（ϕ=0°）的脉动幅值最大，（ϕ=45°）处脉动幅值最小，在 $90°<\phi<180°$范围内，沿滚筒闸门表面向下主频幅值逐渐增大。

数值模拟所得主要结论如下：

①滚筒闸门迎水面中心线（ϕ=90°）附近，流速较小，滚筒上、下方流速较大，中心线以上各点流速随着闸顶水深（$h1$）的增加而增大，中心线以下各点流速变化较小。滚筒闸门背水面中心线以上各点流速随着 $h1$ 的增加逐渐增大，而中心线以下区域流速变化梯度较大，并且速度变化较复杂；滚筒闸门背水面流速大于迎水面流速。

②随上游水深 H 的增加，滚筒闸门迎水面动水压力由闸顶向下逐渐增大，ϕ=135°附近达到最大，继而迅速减小，在滚筒闸门底部降到最小，并形成负压区。滚筒闸门背水面，中心线偏上区域压力值较小，滚筒闸门背水面动水压力沿滚筒闸体面至闸底向呈先增大、后减小趋势，且变化梯度逐渐增大。闸下开度 h、闸顶水深 $h1$ 一定，迎水面各点压力与 R 成正比，闸体背水面 $220°<\phi<260°$区域，闸门表面动水压力与筒径 R 成反比。

③通过对水工模型试验和数值模拟结果的分析，建立了水流中闸门表面动水压力的计算公式，并利用该公式进行了验证性计算，根据回归模型的计算值和模拟值的相关分析，表明该计算模型计算结果较为准确。

本书对水流中横置圆筒绕流流场及其圆筒表面的水力学特性进行了研究，重点对动水压力、压力脉动进行了深入分析，由于作者水平有限，加之数据资料的局限和实践经验的不足，书中难免有不妥之处，恳请各位读者批评指正。

目 录

第1章 绪 论

1.1 浊水资源高效利用研究的背景

我国是世界上水资源较为匮乏的国家，不仅体现在人均水资源仅占世界平均水平的1/5，且东西、南北差异显著，年际间变化大，开发利用条件差、成本高[1]。随着全国用水量的持续增长，水资源短缺的问题仍在进一步加剧，成为国民经济和社会发展的最大制约因素。我国北方水资源严重短缺，对于现有的水资源，有些却未能得到合理的利用。黄河是我国第二大河流，全长为5 464 km，流域面积达75.24万 km^2，黄河自西向东流经青海、四川、甘肃、宁夏、内蒙古、陕西、山西、河南及山东9个省、自治区。黄河中上游以山地为主，中下游以丘陵、平原为主。最高一级阶梯是黄河河源区所在的青藏高原，海拔为4 000 m以上，河谷两岸的山脉海拔为5 500～6 000 m，相对高差达1 500～2 000 m。黄河第二阶梯地势较平缓，黄土高原是其主要构成部分，海拔为1 000～2 000 m，大致以太行山为东界，包括河套平原和鄂尔多斯高原两个自然地理区域。黄土塬、梁、峁、沟是黄土高原的地貌主体。塬面和周围的沟壑构成黄土高原沟壑区。梁和峁构成黄土丘陵沟壑区。塬面或峁顶与沟底相对高差变化很大，黄土土质疏松，垂直节理发育，植被稀疏，在暴雨径流的长期水力侵蚀和作用下，滑坡、崩塌、泻溜极为频繁，因此携带了大量泥沙，是黄河泥沙的主要来源地。黄河被称为世界上含沙量最多的河流，汛期水流的含沙量常常大于 300 kg/m^3，中游支流的最大含沙量可达到1 500 kg/m^3 [2]。内蒙古河套灌区是全国三大灌区之一，是我国设计灌溉面积最大的引黄河水自流灌区。因泥沙含量高，河套灌区灌溉方式单一，主要以漫灌为主，不仅灌溉水利用系数低，还导致土壤盐渍化。总体上，多泥沙和高含沙量河流中的洪水资源利用率低，还常引起巨大的灾害[3-5]。因此，优化水资源的配置，实现洪水资源化，将洪水控制与利用相结合，缓解水资源严重短缺，是当前需研究并解决的重要课题之一。洪水中的多泥沙和对高含沙水资源的利用，早已引起众多学者的关注[6, 7]，但由于其自身的特殊性，在利用过程中存在着诸多难题。坝前泥沙淤积就是在多泥沙和高含沙河流上建坝和取水枢纽的难点之一[8]。

目前我国已建低水头引水枢纽约 10 万座[9]，其中，建在常年有水且含沙量较小河流上的低水头引水枢纽，在引水防沙方面都取得了显著的成就；建在北方多泥沙和高含沙量河流上的引水枢纽，还存在很多问题，淤积的泥沙影响枢纽作用的正常发挥，特别是在季节性河流上，河水具有陡涨陡落的特点，常采用拦河溢流坝或临时土坝壅水方案拦引洪水。壅水建筑物前的泥沙淤积速度快，淤积量大，建壅水溢流坝会导致枢纽上游河道水深加大，流速减缓，水流挟沙能力降低，河道上游产生的泥沙淤积，进水闸大量进沙或远离主流，导致引水困难。建临时土坝壅水拦洪，只能引取洪峰前的少量洪水，洪水一旦漫顶溃坝，引水口就不能正常工作，引水量远小于设计流量[10]。为解决这一难题，目前多采用建拦河闸式引水枢纽或增加冲沙闸宽度以进行引水。

由进水闸、冲沙闸和溢流坝组成的低水头引水枢纽，在引水、冲沙和泄洪的过程中，必须及时调控闸门的启闭、架设动力线路，同时还需有专职人员进行管理。建在我国北方干旱半干旱地区季节性河流上的低水头引水枢纽，在短时间内完成从决策到闸门开启难度较大。加上季节性河流的洪水具有突发性和高含沙量的特点，闸门若不能及时开启，泥沙在闸门附近淤积，增加了闸门开启的难度，甚至无法开启。另外，季节性河流的洪水年际变化大，常有无洪水的年份出现。在该类型的河流上安装启闭闸门的机械，存在设备利用率低、运行不可靠的缺点。因此，在多泥沙季节性河流上修建能自动开启和关闭的水力自动控制闸门有重要的现实意义，自动控制闸门既可降低上游河道防洪堤的高度，又能冲走闸前淤积泥沙。洪峰过后，水位降到设计引洪水位时，闸门自动关闭，继续引洪。该闸门的运行，减少了启闭设备和动力线路的投资，可实现无人值守。

国内外众多的水力自动控制闸门，除法国一种用于控制沉沙池末端自动排沙的水力闸门外，均适合在清水条件下运行，在多泥沙水流条件下，闸前有泥沙淤积，将影响闸门的正常运行[11]。而目前国内外对于能解决上述问题的闸门研究较少。因此，对在闸前有泥沙淤积时能自动启闭的新型水力自动闸门——水力自动滚筒闸门进行研究，具有重要的工程意义和实际意义。

对于水力自动滚筒闸门的研究，已经通过模型试验的方法证实了该闸门在清水中和有泥沙淤积时运行的可行性[12-14]。水力自动滚筒闸门的工作原理是根据上游来水量和水位变化情况，利用水压力产生的推动力矩与闸门自重以及闸门配重产生的回复力矩进行自动启闭，实现水流的自动调节、运行和排沙。使闸门开启的动力主要是作用在闸体上水压力的合力，目前对作用在弧形闸门上的动水压力研究相对较多，对横置圆筒表面动水压力计算研究还较少见[15, 16]。然而，要对水力自动滚筒闸门进行合理设计，闸体上所受动水压力是必须解决的关键问题，因此对横置圆筒闸体表面动水压力的研究对于水力自动滚筒闸门的设计、研发具有重要的意义。

1.2 浊水资源取水建筑物研究现状

闸门是水工建筑物的重要组成部分之一，其作用是封闭水工建筑物的孔口，并能够按需控制孔口大小，调节上下游水位，达到防洪、灌溉、通航以及排除泥沙、冰块等目标[17]。

水工闸门与灌溉、供水及河流航运系统的发展联系紧密。在早期的水利工程中，通过水坝蓄水，然后将水资源输运到灌溉系统，超过设计水位的洪水通过坝顶泄流。随着水利工程的发展，修建了可从设计水位以上移开的坝，即闸门，为洪水泄流提供了通道，其安全性和灵活性较高。随着科学技术的发展，研发了借助水力和重力作用而自动启闭的水力自动闸门。水力自动闸门与其他闸门相比，有很多优点，如运行不借助外力，结构简单，可在无人操纵下自行启闭，运行可靠，管理维护方便，并且造价低廉。因此，在水利工程中，特别是在管理操作不便的偏僻地段，推广和使用水力自动闸门，具有重要的意义。

早在19世纪中叶，欧洲就兴建了一些利用水力自动开启的平板横轴旋转门。20世纪初，相继出现了水力自动控制的扇形闸门和弧形闸门。此后，水力自动闸门在结构上日趋完善，形式也越来越多，仅用于灌溉排水系统的水力自动控制闸门，其形式就达百种以上。在我国，从 20 世纪 50 年代以来，交通航运和水利部门对水力自动平面旋转闸门进行了广泛而长期的试验研究和工程实践。70 年代初期，我国开始陆续涌现一批新型的水力自动平面旋转闸门。这类闸门在防洪、灌溉、发电、航运、供水等部门中得到了广泛的应用。80 年代，出现了连杆滚轮式水力自动翻板闸门，翻板闸门的结构型式和调节性能更加完善，并突破了这类闸门绕固定支点旋转的运行方式，使闸门沿多个支点或曲线形轨道旋转移动，改善了该类闸门的功能[18-21]。目前非连续单铰、双铰、多铰式、曲线连续铰、渐开式、导轨式等多种型式的平面水力自动闸门均得到了广泛应用[22-24]。

此外，我国学者对水力自动弧形闸门、水力自动扇形闸门、水力自动屋顶闸门、水力自动圆筒式闸门和水力自动浮筒闸门等形式的闸门也进行了许多研究[25-29]。国外也出现了许多新型的水力自动闸门。南非成立的 Flowgate Project Ltd.，研制了溢洪道闸门（TOPS Spillway Gate）、坝顶闸门（FDS Crest Gate）和冲沙闸门（FDS Scour Gate）等多种水力自动闸门[30]。随着水利行业的发展，还出现了将闸门闸体、参数测量和控制及数据通信融为一体，利用太阳能或其他能源作为动力的一体化闸门[31, 32]。

以上诸多水力自动闸门，均是设计在清水中运行，在多泥沙河流上，从引水枢纽引出的水通常经过沉砂池进行沉沙，当沉砂池淤积到一定程度后，则需开闸冲沙，法国最先兴建了一种水力自动冲沙闸门，该闸门主要由检测系统、放大系统、排沙系统三部分组成[33]。该闸门的结构及其应用条件均较复杂，取水流量只能在 0.3～6.4 m^3/s，仅在法国修建了十几座，并未得到广泛应用。

综上所述，尽管国内外闸门形式众多，但是能在多泥沙河流中推广应用的闸门还不多见。浊水资源利用难度大，为提高浊水资源利用效率，研发适用于多泥沙河流中自动闸门是亟须解决的问题。自动闸门能保证将高含沙洪水按需分洪，在泥沙淤积的情况下，可按设计标准，实现快速启闭。因此，开展水力自动滚筒闸门研究对浊水资源高效利用具有重要的意义。

1.3　水力自动滚筒闸门设计

水力自动滚筒闸门是一种放置在溢流坝顶，两端封闭的圆筒闸体，在其下游有两条向上逐渐抬高的轨道，轨道与水平线的角度可以调整。水力自动滚筒闸门结构如图 1-1 所示。为了使圆筒闸体平稳、对称且不脱离轨道，防止闸门在原位置滑动，用两端固定在轨道上，中间一点和滚筒无滑动连接的呈“ℓ”形的钢丝绳将滚筒和轨道连成一体。当上游水深逐渐升高时，上游水压力和泥沙产生的推动力矩大于闸体自重及配重产生的回复力矩时，圆筒闸体就会沿轨道向下游滚动，在滚动的同时闸体抬高，使超标准洪水下泄，闸前泥沙被冲走。当水位下降，上游水压力和泥沙产生的推动力矩小于闸体自重及配重产生的回复力矩时，圆筒在自身重力和配重下，圆筒闸体沿倾斜轨道向上游滚动，与此同时，滚筒下的空隙逐渐减小，直到回到起始位置，将水流全部拦住。水力自动滚筒闸门在清水中和闸前有泥沙淤积时的工作状况见图 1-2、图 1-3。

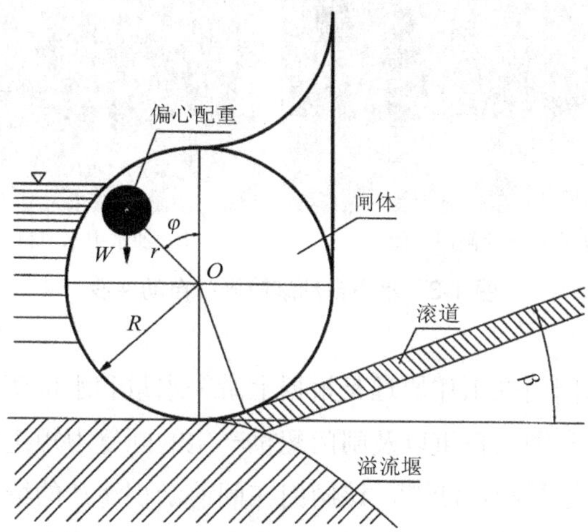

图 1-1　水力自动滚筒闸门结构图

（a）清水中水力自动滚筒闸门关闭　　（b）清水中水力自动滚筒闸门开启

图 1-2　水力自动滚筒闸门在清水中运行模型实验

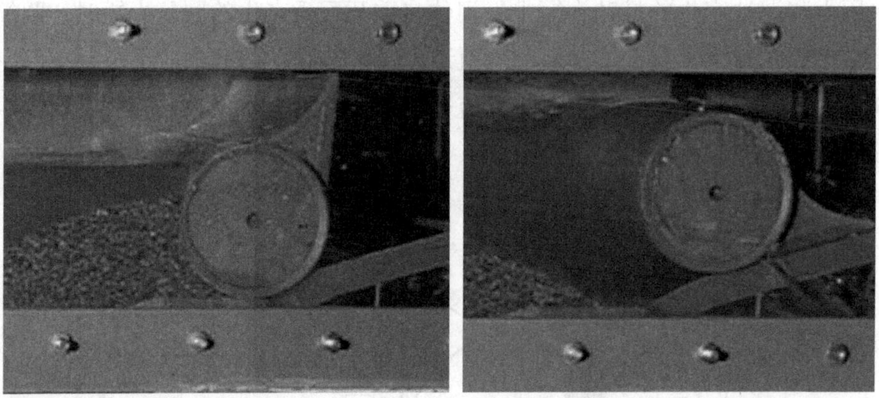

（a）浊水中水力自动滚筒闸门关闭　　（b）浊水中水力自动滚筒闸门开启

图 1-3　水力自动滚筒闸门自动冲沙

水力自动滚筒闸门的工作原理是根据上游来水量和水位变化情况，利用水压力产生的推动力矩与闸门自重以及闸门配重产生的回复力矩进行自动启闭，实现水流的自动调节、运行和排沙[34]。该闸门在闸前淤积泥沙的情况下可实现自动开启，开启过程中圆筒闸体向下游滚动，闸体上的任何点都会脱离淤积的泥沙，因此排沙效果好。为了滚筒闸门安全运行，在圆筒下游侧设置用圆弧连接的直板，当闸门关闭时，上游水位持续壅高，持续升高的上游水位在圆弧段产生附加力矩使闸门开启。该闸门运行灵活，随上游来水量和水位变化自动调整开度，从而实现自动开启和关闭。在闸门开启前后闸前水位变幅较小，运行过程中闸门所受撞击力较小，调节性能和运行条件较好。同时，在上游来水量较大时，具有从闸门上、下同时过水的特点，保证有较大的过水能力和较小的上游水深壅高值，使堤防工程量大大减少，具有优越的调节水流的功能。

目前，对于水力自动闸门的研究大多集中在弧形闸门、翻板闸门、溢洪道闸门等方面[35-39]，对水力自动滚筒闸门的研究还处于初级阶段[40-44]，理清水流中横置圆筒闸体的水力学特性是优化自动滚筒闸门运行的首要问题。因此，本书对横置圆筒闸体表面的水力学特性进行研究，揭示水流中圆筒闸体的受力特性，为浊水资源高效利用提供基础数据。

1.4 物体表面水力特性研究现状

使圆筒闸体顺水流方向滚动开启的动力是作用在闸体上水压力的合力，近年来，国内外对物体表面水力特性的研究，主要集中在竖直圆筒、方柱、翼形和船体方面。例如，孙东坡等[45]采用多普勒测速仪对有拦沙坝防护的模型桥墩附近流场进行了精细测量，并采用有限体积法对桥墩附近流场进行了三维水流数值模拟，对桥墩冲刷坑内三维流速分布进行了分析，给出了冲刷坑内三维紊动特征量的分布，分析了墩前三维流速变化规律及对桥墩局部冲刷的影响。孙德军等[46]采用 Galerkin 方法对低雷诺数的圆柱绕流流动进行了模拟，C.M. Graw 等[47]采用压力传感器对涡脱落时方柱表面的振荡动水压力的分布进行了测量，结果表明，涡脱落的频率和波动的大小依赖压力变化的大小。Durao[48]、王远成等[49]分别采用试验和数值模拟的方法对方柱绕流流场进行了分析研究。1997 年，庞永杰等[50]用面元法计算了水下两个回转椭球体在理想流体中相互接近过程中的附加质量及其导数，以得到干扰力的变化。程丽等[51]、罗庆杰[52]采用无黏性方法和黏性 CFD 方法，对水下三维 Rankine 卵形体和三维扁卵形体在流体中受到的干扰力进行了计算及研究。GAO[53]对船舶表面的水动力进行了数值模拟，曾一非等[54]对水下运动物体间相互作用力的计算进行了探讨。周易[55]对弧形闸门不同底缘形式下的水力特性进行了试验研究，张政[56]对斜立轴式水力自控闸门水流特性展开研究，冯健[57]对轨道式水力自动闸门水流特性及泄流能力进行了研究。

综上所述，国内外对于物体表面的动水压力都进行了深入的研究，而且取得了一定的成果，但是对于水流中横置圆筒表面水力学特性的研究还较少，有待于进一步深入研究。由于滚筒闸门闸体迎水面为圆弧形，当上游水深在圆筒中心线以下时，圆筒迎水面受力与弧形闸门的受力类似，目前国内有关书籍计算弧形闸门门叶上动水压力采用式（1-1）进行计算[14]，其门叶上动水压力见图 1-4。

$$p_{yd}=\gamma g\left[H\left(1-\frac{K_{1c}^2K_{2c}^2}{K_1^2K_2^2}\right)+a\frac{K_{1c}^2K_{2c}^2}{K_1^2K_2^2}-y\right] \tag{1-1}$$

$$K_1=\frac{y}{\sin tg^{-1}\dfrac{y}{a+\sqrt{a^2-y^2+2y\sqrt{R^2-a^2}}}}$$

$$K_2=\frac{y}{\sin tg^{-1}\dfrac{y}{-a+\sqrt{a^2-y^2+2y\sqrt{R^2-a^2}}}}$$

式中：p_{yd}——距闸底板 y 处的动水压力；

K_{1c}、K_{2c}——c 点处的 K_1、K_2 值；

a——闸门开启高度。

上游水深在中心线以上，圆筒上、下均过水时横置圆筒表面动水压力的研究还不够深入。为了水力自动滚筒闸门的安全运行，需厘清不同工况下闸体表面水力学特性问题。水力自动滚筒闸门的主要部分是横置圆筒，因此开展横置圆筒闸体水力学特性的研究对浊水资源高效利用具有重要的意义。

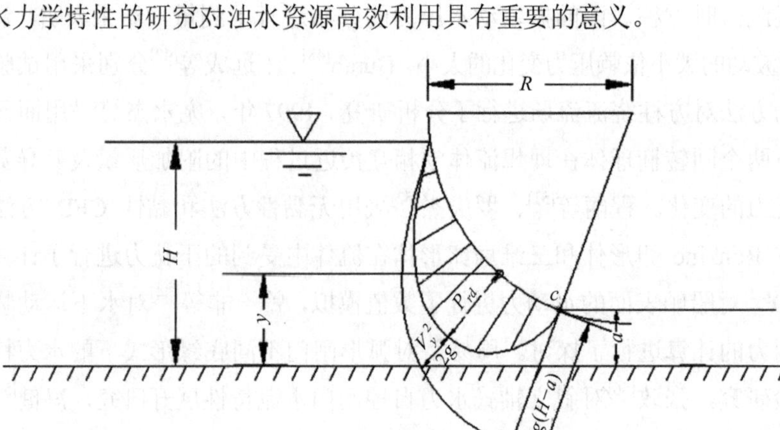

图 1-4 弧形闸门门叶压力分布图

1.5　计算流体力学发展现状

计算流体动力学（Computational Fluid Dynamics，CFD）自 20 世纪 70 年代以来发展迅速，经典流体力学中的一些近似计算法和图解法逐渐被数值模拟被取代。计算流体力学之所以发展速度较快，一方面是解决实际问题的需求牵引；另一方面是计算技术的飞速发展及计算机运算速度和内存的不断增加，从而提高了解决实际问题的能力。在上述原因的驱使下计算流体力学发展成为一门独立的学科[58, 59]。如今，随着解决实际问题能力的增强，计算流体力学已为流体动力学的主要研究方法之一，它的兴起也推动了流体动力学试验研究和理论分析方法的发展[60]。将试验研究与理论分析方法相结合，为简化流体模型的建立提供了科学依据，使得很多简化的方法得到了发展和完善。CFD 作为研究工具在水利工程、土木工程、海洋结构工程、环境工程、食品工程、工业制造等领域得以广泛应用。

计算流体力学的发展，改变了流体力学研究方法，使得许多难以解决的复杂问题，如钝体绕流、分离流、湍流、超声速以及高超声速等，有了相对容易解决的方案，为流体力学研究工作提供了新思路。

1.6　气液两相流研究现状

横置圆筒闸体的绕流流动是存在自由表面的流动，为了对水气界面进行跟踪计算，需采用气液两相流理论来进行研究。该理论的研究主要以水气两相流分层理论为依据，把在重力作用下的绕流水流看作具有水气界面即自由表面的分层流动，自由水面以上为气体，以下为水流流场。这样就可以用分层流的有关理论对其进行研究[61]。带自由表面的气液两相流是较为常见的流体，在水动力学中是最基本、应用最广泛的流态，在水力学研究领域，理论与实践结合较好[62, 63]。

20 世纪 60 年代，Marble、Muarray、于芬芬等采用流体力学的方法对两相流进行研究[64]，随后，有学者提出了平均假设条件下的连续介质模型建立的两相流基本方程，后来又发展了离散的颗粒群在连续流体中运动的分离模型[65-67]。众多学者根据自己的观点，先后采用不同的方法提出了多种两相流模型，如均相流模型、分相流模型、漂移模型和双流体模型等[68]，其中双流体模型应用最为广泛[69]。

双流体模型在理论上对两相流的流动进行了比较严谨的处理，考虑了两相间的双向耦合[70]。该模型是将每相流体都看作连续介质，从而建立各自的控制方程，比较全面地考虑两相间质量、动量和能量的交换。目前，双流体模型仍然处于发展阶段，双流体模型在气液两相层流流动的数值模拟中得到了较为理想的结果[71]。在湍流模拟方面，Maronnier 等[72]用双流体方法对溃坝过程进行了数值模拟，其结果与实际情况吻合度较高。

由于气液两相流的复杂性，其建立基本控制方程的方法也很多，如连续介质方法、分子动力学方法、颗粒群方法等[73]。而基于 CFD 控制方程的离散方法，既有应用有限体积法，又有有限元方法。Parsons 等[74]应用有限元法模拟多组分介质中互不混合气液两相的流动。相比之下，有限体积法应用更加广泛。模拟气液两相流过程关键在于如何确定水气界面，即自由表面的形状及其运动。由于自由表面是一种特殊的界面，它是流域的边界，是流场求解的必要条件，但它的位置并非事先预知，而是作为问题解的一部分由求解过程给出，它的这一特性给问题的求解带来很大困难，同时自由表面流动解的存在性与唯一性仍然存在一些争论。

近年来，随着 CFD 的发展，多种在固定网格系统中用于模拟分界面的数值方法逐渐发展起来。且根据描述流体运动的不同观点，将数值模拟方法分为拉格朗日型和欧拉型。拉格朗日型追踪界面的方法适合于界面变形小的情况，对于界面变形大的问题，计算网格发生扭曲和畸变，会使数值模拟变得不稳定。欧拉型方法为了考虑界面附近的流动，需采用非常细的网格来提高计算精度。综合其各自的优缺点，学者又先后提出了刚盖假定法、高度函数法（HOF）、标志网格法（MAC）、流体体积法（VOF）等，以对分界面的运动进行数值模拟[75]。

刚盖假定法。刚盖假定法是将自由表面假定为一个规则的固定面，且各变量的法向方向值和切向方向梯度值均为零。该方法原理简单易懂，且在数值计算中简便易行。但不适用于分界面起伏比较大的情况[76]。

高度函数法（HOF）。高度函数法计算较简单，但该方法要求水深须为单值函数，水面线不可以重叠，因此没有得到广泛应用。

标志网格法（MAC）。MAC 法是 Euler-Lagrange 的混合方法。其网格采用固定的 Euler 网格，所有流动量都是在该网格系下进行计算的。该方法采用跟踪液体质点的运动解决自由表面问题，将 Euler 法和 Lagrange 法有机地结合了起来，但该方法对计算机要求比较高[76]。

流体体积法（VOF）。VOF 法是一种典型的 Euler 型算法。是采用固定的 Euler 计算网格，在网格上定义一个函数，称为 VOF 函数，在每个网格中，该函数定义为一种流体的体积和网格体积的比值[77]。在任意时刻，已知这个函数在每个网格上的值，即可通过某种途径对运动界面进行跟踪，然后求解物理方程。该方法可以跟踪复杂变形的自由面，所占内存小，且简单有效，是目前处理自由表面问题使用最多的方法之一。近年来，国内外学者采用该方法对自由表面进行了很多研究。符传君等[78]利用 VOF 方法对溃坝水流运动进行了三维数值模拟；戴会超等[79]利用 VOF 方法对非恒定自由表面进行跟踪计算，对淹没水跃进行了数值模拟。张栋[80]、陈为博等[81]、王洪庆[82]利用 VOF 方法对泄洪洞紊流流场进行了数值模拟，Inigo Losada 等[83]利用 VOF 方法对波浪影响下的防波堤作用进行了数值模拟，李志勤等[84]应用 VOF 方法对溢流丁坝附近的流场进行了数值模拟，李福田等[85]应用 VOF 方法对高拱坝宽表孔不同体型及过流量条件下可能出现的不同流态进行了数值模拟，Christakis 等[86]利用 VOF 方法模拟波浪对海岸的影响。以上研究都取得了很好的结果，进一步证明了 VOF 方法能够很好地处理自由表面。

VOF 计算方法因符合质量守恒定律，能处理复杂自由表面情况，并且可以扩展到三维模型，对单元内的流体处理方法简单，因此在各行业得到广泛应用[87]。

1.7　水力自动闸门水力学特性的研究方法

对于水力自动闸门水力学特性的研究方法主要有：理论分析、模型试验和数值计算。

理论分析主要是基于水力自动闸门的工作特点及其基本理论、科研信息和相关领域的基础知识，运用逻辑思维进行分析判断，定性地分析水力自动闸门的工作原理，并对闸体的受力变化进行分析。由于闸门附近水流流动复杂，理论分析只能从定性的角度对闸门的水力学特性进行分析。理论分析的优点是所得结果具有普遍性，各影响因素清晰可见，是指导模型试验研究和数值计算的理论基础。

模型试验，主要是基于水力自动闸门的模型试验装置、测试设备等对闸门的各个工作状态进行监测。应用先进的测量设备、数据采集软件等对模型的水力学特性进行观察和测量，得到相关的数据和图像。模型试验是研究水力自动闸门水力特性的重要方法，通过模型试验对水力自动闸门的水力学特性及其脉动变化规律进行研究，为闸门的稳定性分析及其结构优化提供依据。模型试验是当代水工模型水力特性研究的重要途径。

数值计算具有灵活性强、周期短、成本低以及可预测性等多方面的优势，为科研工作者提供了有效的研究手段[88]。数值计算是基于计算流体动力学的模拟方法，随着计算机技术和 CFD 技术的发展，CFD 已经广泛应用于多种复杂流场的研究。本书采用数值模拟对水力自动滚筒闸门附近流场进行模拟计算，并对所得结果进行分析。CFD 方法、模型试验、理论分析是研究流体运动规律的三种基本方法，三种方法间相互支撑、相互联系的互补关系构成了流体流动研究的基本体系。

1.8 本书的研究内容

综上所述，研究水力自动滚筒闸门对促进浊水资源的高效利用具有重要的意义，横置圆筒闸体表面水力学特性的研究是水力自动滚筒闸门研究的基础。故本书以横置圆筒闸体为对象，采用物理模型试验、CFD 数值模拟和理论分析相结合的方法，对横置圆筒闸体绕流流场，特别是圆筒表面水力学特性展开深入研究。主要研究内容如下：

①结合水力自动滚筒闸门安全运行所需圆筒闸体水力学特性的要求，总结前人所做的研究工作，在此基础上提出横置圆筒闸体绕流流场的研究方法。

②采用模型试验研究的方法，对闸体不同开度、不同上游水深条件下，对圆筒表面的水力特性进行试验，揭示不同工况下圆筒表面的时均压力和脉动压力的变化规律，预测横置圆筒的水力学特性。

③模拟分析横置圆筒绕流流场的水动力学特性，针对试验中的流动状态和参数，采用 CFD 技术，对横置圆筒绕流流场进行数值模拟。通过与模型试验结果对

比分析，率定数学模型的相关参数，确定适合横置圆筒绕流流场的计算模型。

④采用数值模拟方法，对因条件所限未能实现的物理模型试验工况进行模拟计算，作为对物理模型试验的补充。分析闸下开度、上游水深及圆筒筒径对流场及其圆筒表面水力学特性的影响。

⑤圆筒闸体滚动开启的动力主要是作用在横置圆筒闸体上静水压力、动水压力的合力，因此，结合数值模拟的结果，对其进行理论分析，确立横置圆筒表面动水压力的计算模式。

第 2 章　浊水资源取水建筑物的闸门数值模拟

横置圆筒闸体绕流为瞬态黏性不可压流动。由于横置圆筒绕流流场的复杂性，模型试验很难获得流场的详细、全面的信息。随着计算流体技术的快速发展，计算流体力学作为一种数值方法逐渐走向成熟，借助 CFD 技术，可以得到流场内任意位置的流态信息。此外，采用数值方法对圆筒闸体绕流流场进行模拟，与传统的试验方法相比，具有费用低、周期短和模型易修改等优点。因此，CFD 技术越来越多地应用到多种流场的计算[89]。本章重点探讨横置圆筒闸体绕流流场的湍流方法。

2.1　基本控制方程

横置圆筒闸体绕流流动过程遵循物理守恒定律，基本的守恒定律包括：质量守恒定律、动量守恒定律、能量守恒定律。通过控制方程对守恒定律进行数学表述是流体流动数值模拟的理论基础和出发点。本书对横置圆筒闸体绕流流场的研究是在室内常温下进行的，假定为恒温工况，即温度场无变化，不考虑能量交换引起的温度场变化，因此不对能量方程进行求解。绕流流场的流动可视为不可压黏性流动，在笛卡儿坐标系中，基本控制方程如下[90, 91]：

连续方程：

$$\frac{\partial \rho}{\partial t}+\frac{\partial(\rho u)}{\partial x}+\frac{\partial(\rho v)}{\partial y}+\frac{\partial(\rho w)}{\partial z}=0 \qquad (2\text{-}1)$$

动量方程：

$$\frac{\partial(\rho u)}{\partial t}+\frac{\partial(\rho uu)}{\partial x}+\frac{\partial(\rho uv)}{\partial y}+\frac{\partial(\rho uw)}{\partial z}= \frac{\partial}{\partial x}\left(\mu\frac{\partial u}{\partial x}\right)+\frac{\partial}{\partial y}\left(\mu\frac{\partial u}{\partial y}\right)+\frac{\partial}{\partial z}\left(\mu\frac{\partial u}{\partial z}\right)-\frac{\partial p}{\partial x}+S_u \tag{2-2}$$

$$\frac{\partial(\rho v)}{\partial t}+\frac{\partial(\rho vu)}{\partial x}+\frac{\partial(\rho vv)}{\partial y}+\frac{\partial(\rho vw)}{\partial z}= \frac{\partial}{\partial x}\left(\mu\frac{\partial v}{\partial x}\right)+\frac{\partial}{\partial y}\left(\mu\frac{\partial v}{\partial y}\right)+\frac{\partial}{\partial z}\left(\mu\frac{\partial v}{\partial z}\right)-\frac{\partial p}{\partial y}+S_v \tag{2-3}$$

$$\frac{\partial(\rho w)}{\partial t}+\frac{\partial(\rho wu)}{\partial x}+\frac{\partial(\rho wv)}{\partial y}+\frac{\partial(\rho ww)}{\partial z}= \frac{\partial}{\partial x}\left(\mu\frac{\partial w}{\partial x}\right)+\frac{\partial}{\partial y}\left(\mu\frac{\partial w}{\partial y}\right)+\frac{\partial}{\partial z}\left(\mu\frac{\partial w}{\partial z}\right)-\frac{\partial p}{\partial z}+S_w \tag{2-4}$$

也可以写为张量指标形式：

$$\frac{\partial\rho}{\partial t}+\frac{\partial u_j}{\partial x_j}=0 \tag{2-5}$$

$$\frac{\partial}{\partial t}(\rho u_i)+\frac{\partial}{\partial x_j}(\rho u_i u_j)=\frac{\partial}{\partial x_j}\left(\mu\frac{\partial u_i}{\partial x_j}\right)-\frac{\partial p}{\partial x_i}+S_i \tag{2-6}$$

式（2-2）至式（2-6）中，ρ 为流体密度；t 为时间；u、v、w 分别为速度在 x、y、z 方向上的分量；p 为压力；μ 为流体动力黏性系数；S_u、S_v、S_w 为动量守恒方程的广义源项；u_i、$u_j$$(i=1, 2, 3;\ j=1, 2, 3)$ 为流体的速度分量。

2.2　湍流数值方法概述

横置圆筒绕流流场弯曲多变，其流动为复杂的湍流流动。湍流流动是自然界常见的流动现象，且湍动特性在工程中占有重要的地位，因此，湍流的研究一直受到众多学者的重视。湍流是一种高度复杂的非定常流动，从物理逻辑结构可以把湍流看成是由各种不同尺度的涡叠合而成的运动，这些涡的大小及旋转方向均

是随机的[92]。Navier-Stokes 方程（简称 N-S 方程）是描述牛顿流体运动的常用方程，可用于描述复杂、非定常的湍流运动[93]。但 N-S 方程组的直接求解难度较大，因此，又结合新的湍流理论，开展了相关的试验研究。

从 1883 年英国 O.Reynolds 所做的由层流到湍流的转捩圆管试验至今，对湍流基础理论的研究已有上百年的历史。随着试验测量技术的发展以及对湍流机理的认识和描述逐步深入，从湍流时均速度的 Prandtl 动量输运理论，到 Von Karman 和 Howarth 提出平均湍流动能方程，学界逐步认识到湍流脉动能量的分布规律[94]。20 世纪 50 年代以 Kolmogorov 为代表的均匀各向同性湍流统计理论，揭示了特定湍流场中湍流动能在不同尺度涡团间传递和耗散的规律；20 世纪 60 年代发现的湍流拟序结构，标志着对湍流本质的认识有了新的进展。近 20 年来对湍流拟序结构的内在机理和演变规律进行了大量研究，发现它是生成和维持湍流的主要机制。由于湍流本身的复杂性，直到现在仍有一些问题仍需进一步开展深入研究[64, 88, 95]。

由于湍流流动本身的复杂性，数值模拟成为湍流运动的主要研究方法。在不同时期的湍流理论和模型研究的基础上，发展到当今较成熟的湍流的数值模拟研究方法，并派生出不同的求解方程[88]。总体上来说，当前湍流数值模拟方法有两种，即直接数值模拟方法和非直接数值模拟方法。

直接数值模拟方法是对瞬时 Navier-Stokes 湍流控制方程直接进行求解，在理论上可得到相对准确的结果，但采用该方法模拟湍流流动，其计算域尺寸需满足最大尺度涡、极小尺度涡需求的两个极限[94]。对由于现有的计算机能力及计算速度有较高的要求，该方法普及性稍低，但随着并行技术的发展，直接数值模拟可应用于实际工程[95, 96]。

非直接数值模拟是对湍流作近似和简化处理，根据不同的近似和简化方法，非直接数值模拟方法分为统计平均法、雷诺平均法（Reynolds-averaged Navier-Stokes，RANS）、大涡模拟（Large Eddy Simulation，LES）和格子玻尔兹曼方法（Lattice Boltzmann，LBM）等[77]。湍流数值模拟方法发展速度较快，其分类如图 2-1 所示。

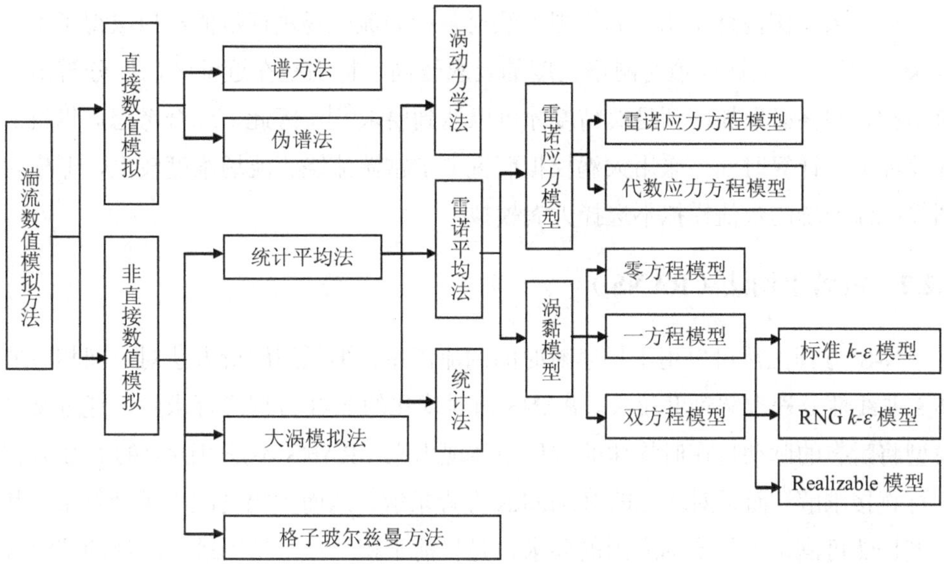

图 2-1　湍流数值模拟方法

LBM 是基于分子运动论的一种模拟流体运动的数值方法，以分子运动论和统计力学为理论基础。LBM 已应用于热传导、多相流、多组分流、湍流、颗粒悬浮等诸多领域，具有广阔的发展空间和应用前景[97, 98]。

本书对 LES 法和 RANS 法各自优缺点及适用范围进行了对比分析，以确定适合于横置圆筒绕流流场的湍流数值计算方法。

2.2.1　大涡模拟（LES）

LES 法是 Smagorinsky 于 1963 年提出的，1970 年 Deardorff 将大涡模拟的方法应用到实际的工程流体中[99, 100]。该方法通过 N-S 方程直接计算比网格尺度大的湍流运动，通过建立亚格子尺度模型来模拟比网格尺度小、趋于各项同性的小尺度涡运动[101]。大涡模拟是介于直接数值模拟和湍流模式理论之间的数值模拟方法。LES 方法是目前 CFD 研究和应用的热点之一[102-104]。采用该方法进行湍流数值模拟，对流场分辨率的要求、准确程度及其网格尺度的要求以及可得到的信息量均介于 DNS 和 RANS 之间。对大涡运动直接求解，可获得流场翔实的脉动信息[105]。

近年来，国内外采用大涡模拟方法对各种湍流流场进行数值模拟取得了不少成果[106-108]。但大涡模拟对网格尺度的要求较高，特别是在近壁区，要分辨出湍流结构，网格必须加密到足够精度才可以达到要求[88]。因此，综合考虑计算机的计算能力和计算时间，采用大涡模拟研究非定常湍流绕流流场难度较大，即横置圆筒绕流流场的数值模拟不选择大涡模拟。

2.2.2 雷诺平均法（RANS）

N-S 方程虽然可以用于描述瞬时的湍流流态，但采用解析方法对时间相关的 N-S 非线性方程求解难度较大。RANS 对时均化的 N-S 方程进行求解，通过某种模型将瞬态的脉动量在时均化的方程中体现出来。RANS 不是对瞬时的 N-S 方程进行直接求解，而是对均化的 Reynolds 方程求解，从而大幅度减小了计算量，其精度仍然可满足工程实际应用的要求，是目前工程计算中使用最为广泛的湍流数值模拟方法[109-111]。

由于湍流的不稳定性，将湍流运动看作由两个流动叠加而成，即时间平均流动和瞬时脉动流动。因此，流动变量用平均值与脉动值之和来代替，即瞬时连续方程（2-5）和动量方程（2-6）中的变量 u、v、w、p 等可写为[98]

$$u=\overline{u}+u',\ v=\overline{v}+v',\ w=\overline{w}+w',\ p=\overline{p}+p' \tag{2-7}$$

式中，$\overline{u}$、$\overline{v}$、$\overline{w}$ 为速度时均值；u'、v'、w' 为速度脉动值；$\overline{p}$ 为压力时均值；p' 为压力脉动值。

将式（2-7）代入方程（2-5）和方程（2-6），得到惯性直角坐标系下，非定常、不可压流动的湍流时均运动基本方程：

$$\frac{\partial \overline{u_i}}{\partial x_i}=0 \tag{2-8}$$

$$\frac{\partial(\rho\overline{u_i})}{\partial t}+\frac{\partial(\rho\overline{u_i u_j})}{\partial x_j}=-\frac{\partial \overline{p}}{\partial x_i}+\frac{\partial}{\partial x_j}\left(\mu\frac{\partial \overline{u_i}}{\partial x_j}-\rho\overline{u_i' u_j'}\right)+\overline{S_i} \tag{2-9}$$

在后面的章节里，为书写方便，略去时均值的上标“－”，用 u_i、p 代替 $\overline{u_i}$、$\overline{p}$，则方程（2-8）和方程（2-9）可写为

$$\frac{\partial u_i}{\partial x_i}=0 \tag{2-10}$$

$$\frac{\partial(\rho u_i)}{\partial t}+\frac{\partial(\rho u_i u_j)}{\partial x_j}=-\frac{\partial p}{\partial x_i}+\frac{\partial}{\partial x_j}\left(\mu\frac{\partial u_i}{\partial x_j}-\rho\overline{u_i' u_j'}\right)+S_i \tag{2-11}$$

上式为用张量的指标形式表示的时均连续方程和 Reynolds 方程，比较方程（2-11）和瞬时 N-S 方程（2-6），Reynolds 方程中包含了二阶关联项$-\rho\overline{u_i'u_j'}$，即 Reynolds 应力项，该项与脉动速度相关。因此，方程（2-10）和方程（2-11）所组成的基本控制方程是不封闭的，故使得动量方程变得复杂。

要使方程封闭，须建立$-\rho\overline{u_i'u_j'}$的表达式，将时均值与湍流脉动值联系起来。目前广泛应用的湍流雷诺应力及其关联项的封闭模型主要有Reynolds应力模式和黏性系数模型[98]。Reynolds 应力模式工作量较大，用于工程还存在一些困难。黏性系数模型引入涡黏系数，不直接处理 Reynolds 应力项，是目前应用比较广泛的方法。因此，本书采用该方法对湍流绕流流场进行模拟计算，下面对涡黏模型进行重点说明。

2.3　湍流涡黏模型

在湍流涡黏模型中，不直接处理 Reynolds 应力项，而是在湍流局部各向同性的前提下，模仿层流输运方程，引入标量的各向同性湍动黏性系数μ_t或称湍动黏度[94]，把湍流应力表示成湍动黏度的函数，确定这种湍动黏度是整个计算的关键所在。

1877 年，Boussinesq 提出了涡黏假定，该假定建立了 Reynolds 应力相对于平均速度梯度的关系[88]，即：

$$-\rho\overline{u_i'u_j'}=\mu_t\left(\frac{\partial u_i}{\partial x_j}+\frac{\partial u_j}{\partial x_i}\right)-\frac{2}{3}\left(\rho k+\mu_t\frac{\partial u_i}{\partial x_i}\right)\delta_{ij} \tag{2-12}$$

式中，u_i为时均速度；μ_t为湍动黏度；δ_{ij}为“Kronecker delta”符号（当$i=j$时，$\delta_{ij}=1$，当$i\neq j$时，$\delta_{ij}=0$），k为湍动能：

$$k = \frac{\overline{u_i'u_j'}}{2} \tag{2-13}$$

因此，为了求解由方程（2-10）、方程（2-11）、方程（2-12）组成的方程组，引入了涡黏模型，该模型把湍动黏度 μ_t 与湍流时均参数联系起来，确定 μ_t 的微分方程的数目[110, 112]，将湍流涡黏模型分为零方程模型、一方程模型和两方程模型[113, 114]。

零方程模型是采用代数关系式，把湍动黏度与变量时均值联系起来的模型。由时均连续方程和 Reynolds 方程组成方程组，把方程中的平均速度梯度和 Reynolds 应力相联系，忽略了扩散和对流的影响[115]。零方程模型在实际工程中应用较少。

一方程模型是在湍流时均方程和 Reynolds 方程的基础上，建立一个湍动能 k 的输运方程，从而使方程组封闭。在一方程模型中，考虑了湍动的扩散输运和对流输运，比零方程模型更为合理，但在该模型中，需要采用经验方法确定长度比尺[116]。

两方程模型是在一方程模型的基础上，引入一个关于湍动耗散率 ε 的方程。该模型是目前在工程中应用最广泛的湍流模型。最基本的两方程模型有标准 $k-\varepsilon$ 模型，及其 RNG $k-\varepsilon$ 模型和 Realizable $k-\varepsilon$ 模型等。这三种模型均有不同的适用条件，因此，书中采用这三种模型对横置圆筒绕流流场进行数值分析计算，以确定适合横置圆筒绕流流场的湍流模型。

2.3.1　标准 $k-\varepsilon$ 模型

标准 $k-\varepsilon$ 模型是由 Launder 和 Spalding 于 1972 年提出的，该模型是在湍动能 k 的基础上，引入一个湍动耗散率 ε 的方程，湍动耗散率 ε 的定义为[117]

$$\varepsilon = \frac{\mu}{\rho}\left(\overline{\frac{\partial u_i'}{\partial x_k}\frac{\partial u_i'}{\partial x_k}}\right) \tag{2-14}$$

湍动黏度可表示为

$$\mu_t = \rho C_\mu \frac{k^2}{\varepsilon} \tag{2-15}$$

式中，C_μ 为经验常数。

在标准$k-\varepsilon$模型中，k和ε是两个基本的未知量，对不可压流动相应的输运方程为[116, 117]

湍动能方程（k方程）：

$$\frac{\partial(\rho k)}{\partial t}+\frac{\partial(\rho k u_i)}{\partial x_i}=\frac{\partial}{\partial x_j}\left[\left(\mu+\frac{\mu_t}{\sigma_k}\right)\frac{\partial k}{\partial x_j}\right]+G_k-\rho\varepsilon \tag{2-16}$$

湍动耗散率方程（ε方程）：

$$\frac{\partial(\rho\varepsilon)}{\partial t}+\frac{\partial(\rho\varepsilon u_i)}{\partial x_i}=\frac{\partial}{\partial x_j}\left[\left(\mu+\frac{\mu_t}{\sigma_\varepsilon}\right)\frac{\partial\varepsilon}{\partial x_j}\right]+\frac{C_{1\varepsilon}\varepsilon}{k}G_k-C_{2\varepsilon}\rho\frac{\varepsilon}{k} \tag{2-17}$$

式中，G_k为由平均速度梯度引起的湍动能k的产生项，由下式求出：

$$G_k=\mu_t\left(\frac{\partial u_i}{\partial x_j}+\frac{\partial u_j}{\partial x_i}\right)\frac{\partial u_i}{\partial x_j} \tag{2-18}$$

在标准$k-\varepsilon$模型中，根据 Launder 等的推荐值及后来的试验验证，模型中相关常数取值为[118]

$$C_{1\varepsilon}=1.44,\ C_{2\varepsilon}=1.92,\ C_\mu=0.09,\ \sigma_k=1.0,\ \sigma_\varepsilon=1.3 \tag{2-19}$$

标准$k-\varepsilon$模型是根据湍流发展非常充分的湍流流动建立的，在考虑湍流物理量输运过程的情况下通过求解偏微分方程确定湍流特征长度，该模型适应强湍流流态，在科学研究和工程实际中得到了广泛应用。在该模型中，Reynolds 应力的各个分量假定为湍动黏度μ_t为各向同性的标量，因此，当该模型用于弯曲壁面流动、弯曲流线流动及强旋流的流动时，其模拟结果与实际流动产生一定差异[119]。

2.3.2 RNG k-ε 模型

Yakhot 和 Orszag 于 1986 年提出了标准k-ε模型的改进模型 RNG k-ε模型。与标准k-ε模型相比，RNG k-ε模型在ε方程中增加了反映主流时均应变率的项，间接改进了对耗散率方程的模拟，在一定程度上考虑了湍流的各向异性效应，更适合流线弯曲流动的模拟[120, 121]。其k、ε的输运方程分别为

$$\frac{\partial(\rho k)}{\partial t}+\frac{\partial(\rho k u_i)}{\partial x_i}=\frac{\partial}{\partial x_j}\left[\alpha_k \mu_{eff}\frac{\partial k}{\partial x_j}\right]+G_K+\rho\varepsilon \tag{2-20}$$

$$\frac{\partial(\rho\varepsilon)}{\partial t}+\frac{\partial(\rho\varepsilon u_i)}{\partial x_i}=\frac{\partial}{\partial x_j}\left[\alpha_\varepsilon \mu_{eff}\frac{\partial\varepsilon}{\partial x_i}\right]+\frac{C_{1\varepsilon}^*\varepsilon}{k}G_k-C_{2\varepsilon}\rho\frac{\varepsilon^2}{k} \tag{2-21}$$

其中

$$\left.\begin{aligned}
&\mu_{eff}=\mu+\mu_t\\
&\mu_t=\rho C_\mu\frac{k^2}{\varepsilon}\\
&C_\mu=0.084\,5,\ \ \alpha_k=\alpha_\varepsilon=1.39\\
&C_{1\varepsilon}^*=C_{1\varepsilon}-\frac{\eta(1-\eta/\eta_0)}{1+\beta\eta^3}\\
&C_{1\varepsilon}=1.42,\quad C_{2\varepsilon}=1.68\\
&\eta=\left(2E_{ij}\cdot E_{ij}\right)^{1/2}\frac{k}{\varepsilon}\\
&E_{ij}=\frac{1}{2}\left(\frac{\partial u_i}{\partial x_j}+\frac{\partial u_j}{\partial x_i}\right)\\
&\eta_0=4.377,\quad \beta=0.012
\end{aligned}\right\} \tag{2-22}$$

其中，压力生成项G_k的计算同标准$k-\varepsilon$模型中的计算方法。

RNG k-ε 模型与标准 k-ε 模型的主要区别在于：①其方程中的常数是利用 RNG 理论推导出来的精确值[122]；②通过湍动黏度的修正，考虑了平均流动中的旋流及旋转流动情况；③RNG k-ε 模型可以更好地处理高应变率及流线弯曲程度较大的流动，从而提高了模型在旋流和大曲率情况下的精度[123]。

2.3.3 Realizable k-ε 模型

Realizable k-ε 模型是将湍流黏性系数μ_t计算式中的系数C_μ与应变率联系起来，该模型对应的湍动能k和耗散率ε的输运方程为[116, 117]

$$\frac{\partial(\rho k)}{\partial t}+\frac{\partial(\rho k u_i)}{\partial x_i}=\frac{\partial}{\partial x_j}\left[\left(\mu+\frac{\mu_t}{\sigma_k}\right)\frac{\partial k}{\partial x_j}\right]+G_K-\rho\varepsilon \tag{2-23}$$

$$\frac{\partial(\rho\varepsilon)}{\partial t}+\frac{\partial(\rho\varepsilon u_i)}{\partial x_i}=\frac{\partial}{\partial x_j}\left[\left(\mu+\frac{\mu_t}{\sigma_\varepsilon}\right)\frac{\partial\varepsilon}{\partial x_i}\right]+\rho C_1 E\varepsilon-\rho C_2\frac{\varepsilon^2}{k+\sqrt{\nu\varepsilon}} \tag{2-24}$$

其中

$$\left.\begin{aligned}&\sigma_k=1.0,\sigma_\varepsilon=1.2,C_2=1.9\\&C_1=\max\left(0.43,\frac{\eta}{\eta+5}\right)\end{aligned}\right\} \tag{2-25}$$

式中，η 按式（2-22）计算。

式（2-23）、式（2-24）中 μ_t 按下式计算：

$$\mu_t=\rho C_\mu\frac{k^2}{\varepsilon} \tag{2-26}$$

$$C_\mu=\frac{1}{A_0+A_S U^* k/\varepsilon} \tag{2-27}$$

其中

$$\left.\begin{aligned}&A_0=4.0\\&A_s=\sqrt{6}\cos\theta\\&\theta=\frac{1}{3}\arccos\left(\sqrt{6}W\right)\\&W=\frac{E_{ij}E_{jk}E_{kj}}{\left(E_{ij}E_{ij}\right)^{1/2}}\\&E_{ij}=\frac{1}{2}\left(\frac{\partial u_i}{\partial x_j}+\frac{\partial u_j}{\partial x_i}\right)\\&U^*=\sqrt{E_{ij}E_{ij}+\tilde{\Omega}_{ij}\tilde{\Omega}_{ij}}\\&\tilde{\Omega}_{ij}=\Omega_{ij}-2\varepsilon_{ijk}\omega_k\\&\Omega_{ij}=\overline{\Omega}_{ij}-\varepsilon_{ijk}\omega_k\end{aligned}\right\} \tag{2-28}$$

式中，$\overline{\Omega}_{ij}$ 是以角速度为 ω_k 的参考坐标系中的时均转动速度张量。Realizable k-ε 模型的湍流黏性系数引入了与旋转和曲率相关的内容，不再是常数。此外，该模型中湍流耗散率 ε 的输运方程中不再包含有 k 方程中的产生项 G_k，且 ε 方程中的倒数第二项不具有任何奇异性。

目前，Realizable k-ε 模型已被广泛应用于各种不同的湍流数值模拟，如管道内流动、边界层流动、旋转均匀剪切流和混合流的自由流动，及其有分离的流动等[124]。

2.3.4 近壁区处理

用于求解湍流核心区流动各种湍流模型，都是针对充分发展的湍流。而对于近壁区的流动，Re 较低，湍流发展不充分，湍流的脉动影响低于分子黏性的影响，尤其在黏性底层，流动几乎为层流，湍流应力基本不起作用。因此，在该区域内就不能使用湍流模型进行计算，须对近壁区进行特殊处理。为解决这一问题，引入了壁面函数法[77]。

壁面函数法是一组半经验公式求解法，不对黏性影响比较明显的区域求解，而壁面上的物理量与湍流核心区相应物理量是通过半经验公式联系起来，直接得到与壁面相邻控制体积的节点变量值[116]。

定义无量纲参数 u^+ 和 y^+，分别表示速度和距离[125]：

$$u^+ = \frac{u}{u_\tau} \tag{2-29}$$

$$y^+ = \frac{\Delta y \rho u_\tau}{\mu} = \frac{\Delta y}{\nu}\sqrt{\frac{\tau_w}{\rho}} \tag{2-30}$$

式中，u 为流体时均速度；τ_w 为壁面切应力；u_τ 为壁面摩擦速度 $u_\tau = \left(\tau_w / \rho\right)^{\frac{1}{2}}$；$\Delta y$ 为网格中心到壁面的距离。依据 y^+ 取值的不同，将近壁区流动分为黏性底层、过渡层、对数律层和湍流核心区。根据具体处理方式和网格要求的不同，壁面处理方法主要分为标准壁面函数法、非平衡壁面函数法和增强型壁面处理法[77]。

标准壁面函数法是将近壁区流动分为两层，当 $y^+ > 11.225$ 时，流动处于对数律层，对应无量纲参数为[107]

$$u^+ = \frac{1}{\kappa}\ln\left(Ey^+\right) \tag{2-31}$$

$$y^+ = \frac{\Delta y_p\left(C_\mu^{1/4} k_p^{1/2}\right)}{\mu} \tag{2-32}$$

壁面剪切应力τ_w为

$$\tau_w = \rho C_\mu^{1/4} k_p^{1/2} u_p / u^+ \tag{2-33}$$

式中，u_p为近壁面计算网格节点P的时均速度；Δy_p为节点P到壁面的距离；k_p为节点P的湍动能；μ为流体动力黏度；κ为卡门常数（取 0.418 7）；E为经验系数（取 9.793）。

当$y^+<11.225$时，近壁区控制体积内流动处于黏性底层，由层流应力应变关系计算速度u_p，即：

$$u^+ = y^+ \tag{2-34}$$

在壁面上，湍动能k的边界条件为[126]

$$\frac{\partial k}{\partial n} = 0 \tag{2-35}$$

其中，n为垂直于壁面的局部坐标。

根据局部平衡假定，近壁区k方程源项的湍动能产生项G_k按下式计算[96]：

$$G_k \approx \tau_w \frac{\tau_w}{\rho \kappa C_\mu^{1/4} k_p^{1/2} \Delta y_p} \tag{2-36}$$

湍动能耗散率ε不再求解相应方程，直接按下式计算：

$$\varepsilon = \frac{C_\mu^{3/4} k_p^{3/2}}{\kappa \Delta y_p} \tag{2-37}$$

非平衡壁面函数法考虑了壁面区内压力梯度的影响，引入两层模式，计算近壁面单元的湍动能和耗散率。

将壁面区单元的平均流速对数率关系表示成压力梯度的函数：

$$\frac{\tilde{u} C_\mu^{1/4} k^{1/2}}{\tau_w / \rho} = \frac{1}{k} \ln\left(E \frac{\rho C_\mu^{1/4} k^{1/2} y}{\mu} \right) \tag{2-38}$$

其中：

$$\tilde{u} = u - \frac{1}{2}\frac{\mathrm{d}p}{\mathrm{d}x}\left[\frac{y_v}{\rho k^* \sqrt{k}} \ln\left(\frac{y}{y_v}\right) + \frac{y - y_v}{\rho k^* \sqrt{k}} + \frac{y_v^2}{\mu} \right] \tag{2-39}$$

y_v为黏性底层物理厚度，按下式计算：

$$y_v = 11.225\frac{\mu}{\rho C_\mu^{1/4} k_P^{1/2}} \tag{2-40}$$

引入双层模式，假定近壁区分为黏性底层和湍动层，分别进行湍动量计算[96]。

$$\tau_t = \begin{cases} 0, & y<y_v \\ \tau_w, & y>y_v \end{cases} \quad k = \begin{cases} \left(\dfrac{y}{y_v}\right)^2 k_p, & y<y_v \\ k_P, & y>y_v \end{cases} \quad \varepsilon = \begin{cases} \dfrac{2\nu k}{y^2}, & y<y_v \\ \dfrac{k^{3/2}}{C_l y}, & y>y_v \end{cases} \tag{2-41}$$

其中：$C_l = \kappa C_\mu^{-3/4}$，$y_v$是有量纲的黏性底层厚度，$y_v = \dfrac{\mu y_v^*}{\rho C_\mu^{1/4} k_p^{1/2}}$。

增强型壁面处理是采用两层模型联合增强壁面函数进行近壁区域的计算。两层模型通过引入湍流雷诺数Re_y，将计算域分解为充分发展湍流区和黏性影响区[126]。

湍流雷诺数定义为

$$Re_y = \frac{\rho y\sqrt{k}}{\mu} \tag{2-42}$$

其中，y为到壁面的最短距离。

在充分发展湍流区（Re_y ＞200），应用 2.3 节中的湍流模型进行求解；采用一方程模型对近壁面黏性影响区（Re_y＜200）进行求解。

增强型壁面处理方法将近壁区作为一个整体求解，其壁面函数为[96]

$$u^+ = e^\Gamma u_{lam}^+ + e^{1/\Gamma} u_{turb}^+ \tag{2-43}$$

其中，Γ为混合函数，即

$$\Gamma = -\frac{0.01(y^+)^4}{1+.0.5y^+} \tag{2-44}$$

2.4 控制方程的求解方法

时均流动控制方程（2-10）、方程（2-11）和湍流模型中的k方程、ε方程一起，构成了求解流场中定常、不可压缩流动的基本控制方程组。方程组中包括u、

v、w、p、k 和 ε 6 个变量；方程的数目为 6 个，故方程组是封闭的。在固定的边界条件下，方程组有唯一解[88]。

上述基本控制方程组可以表示成如下的通用形式[77]：

$$\frac{\partial(\rho\varphi)}{\partial t}+\frac{\partial(\varphi u_i)}{\partial x_i}=\frac{\partial}{\partial x_i}\left(\Gamma_\varphi\frac{\partial\varphi}{\partial x_i}\right)+S_\varphi \tag{2-45}$$

式中，φ 为通用流场变量；Γ_φ 为广义扩散系数；S_φ 为广义源项。式（2-45）中各项依次为瞬态项、对流项、扩散项和源项。

2.4.1　控制方程的离散

为了求解控制方程组（2-45），需要对计算域进行离散，建立网格节点集，并将微分方程组及其相应边界条件转化为网格节点上的代数方程组。

不可压流动控制方程常用的离散方法有：有限体积法、有限差分法、有限元法等。此外，还有在有限差分基础上发展起来的有限分析法及其在有限元法基础上发展的边界元法和混合元法[127]。有限差分法是应用最早且最为经典的 CFD 方法，它是用由网格线的交点所组成的点的集合来代替求解域。在每个节点上，用相应的差分表达式来表达所研究流动问题代数方程组中的每一个导数项，从而在每个节点上形成一个代数方程，该代数方程包含了本节点及其附近一些节点上所求量的未知值。求解这些代数方程组以获得所需要的数值解。这种方法表达简单，多应用于求解抛物型和双曲型问题，主要缺点是对复杂区域的适应性较差，边界条件不易被处理，且数值解的守恒性难以保证[128]。

有限元法是 20 世纪 80 年代开始应用的一种数值解法，它既吸收了有限差分法中离散处理的优点，又采用逼近函数对区域进行积分的合理方法[129]。该方法因求解速度较慢，应用不太广泛。有限体积法是近年来发展非常迅速的一种离散化方法，其特点是计算效率高[130]。该方法是将计算域划分为网格，使每个网格点周围有一个互不重复的控制体积；待解微分方程对每一个控制体积积分，从而得到一组离散方程[131, 132]。

采用有限体积法进行离散时其离散格式包括：中心差分格式、一阶迎风格式、混合格式、乘方格式、指数格式、二阶迎风格式和 QUICK 格式等。各种离散格式都有各自的特点及适用性[77]。在对时间域进行离散时有三种离散格式（时间积分方案），即显式时间积分、全隐式时间积分和 Crank-Nicolson 时间积分[126]。

2.4.2 离散方程组的数值解法

求解计算域内建立的数学模型，需要将计算域用有限体积法或其他类似方法离散成许多小的体积单元，在每个体积单元上对离散后的控制方程组进行求解。对离散后的控制方程组的求解有两种，即耦合式解法和分离式解法，主要的方法分类如图 2-2 所示[73]。

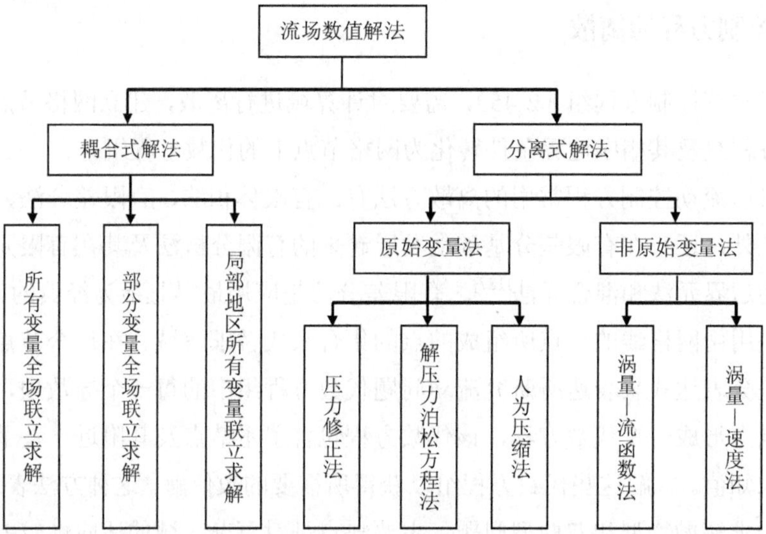

图 2-2 流场数值计算方法分类图

控制方程离散后得到速度和压力的代数方程组，由于横置圆筒绕流流场流动的介质为不可压流体，但连续方程中不含有压力项，因此，在联立求解时会产生奇异性。因联立求解对计算机的内存和计算时间要求较高，因此常采用分离式解法[111]。分离式解法是按顺序、逐个地求解各变量方程组，分离式解法分为原始变量法和非原始变量法[77]。

涡量—流函数法使用的控制方程为流函数 Poisson 方程和涡量输运方程。涡量输运有效解决了压力和速度的耦合，其简单高效，广泛应用于二维定常、非定常不可压流动的求解。但该方法不适合三维空间问题的计算，涡量边界条件不能直接捕捉[133]，因此，该方法在复杂流动问题求解中存在一定局限性。涡量—速度法和涡量—速度势法都可用于求解三维不可压流动，由于涡量边界条件不易直接确定，因此在应用推广上受到一定程度的限制[88, 134]。

在工程中解决不可压流体的方法常采用直接求解原始变量的分离式解法。原始变量法的解法较多，常见的有压力修正法和解压力泊松方程法。解压力泊松方程法是将动量方程转变为泊松方程，然后对泊松方程进行求解[135]。压力修正法的实质是迭代法。压力修正法有多种实现方式，其中，压力耦合方程组的半隐式（SIMPLE 算法）使用最为广泛[136]。

SIMPLE 算法是 Patankar 和 Spalding 于 1972 年提出的，该方法在交错网格上对原始变量基本方程用有限体积法离散。该算法将速度求解过程分解为两个阶段，采用压力修正计算，获得收敛解[123, 137]。该方法采用欠松弛处理对压力场进行修正，但收敛效果欠佳，速度场的修正与压力场的修正不能较好地同步进行，最终影响整个流场计算的收敛速度[88]。为解决对 SIMPLE 算法收敛性问题，不少学者展开了系列研究，对 SIMPLE 方法进行了修正，先后出现了 SIMPLER（SIMPLE Revised）、SIMPLEC（SIMPLE Consistent）和 PISO（Pressure Implicit with Splitting of Operators）等改进算法[77, 138, 139]。

1986 年 Issa 提出的 PISO 算法，该方法是针对非定常可压流动的无迭代计算所建立的一种压力速度计算程序，有效解决了定常问题计算[140]。PISO 算法与 SIMPLE 等算法比较，增加了修正步计算，包含一个预测步和两个修正步，在完成第一次修正得到速度及压力值后寻求二次改进值，能够同时满足动量方程和连续方程。该算法可以加快单个迭代步中的收敛速度，取得较好的效果，对处理瞬态问题有明显的优势[135, 141]。

2.5　两相流计算模型

由于横置圆筒绕流流场是典型的气液两相流，为了捕捉气－液交界面，准确了解横置圆筒闸体周围的流场状况，需对水气界面即自由表面进行跟踪计算。FLUENT 中处理两相流及多相流的主要方法有：VOF、DMP、Eulerian 和 Mixture

等模型[54]。

DMP 模型不适用于流－流混合物流场的数值计算。Eulerian 模型可以模拟多相分离流及相互作用的相，但该模型计算效率低，且不够成熟。Mixture 模型是一种简化的多相流模型，用于模拟各相有不同速度、强烈耦合的各向同性和各相以相同速度运动的多相流，但该模型在处理一些特殊的界面特性（脉动和扩散）时可能会遇到困难。VOF 模型是通过求解单独的动量方程和处理穿过区域的每一流体的容积比来模拟两种或三种不能混合的流体，是用体积率函数表示流体自由面位置和流体所占的体积，多用于模拟非定常流动问题，适用于分层流或自由表面的流动，该方法所占内存小，是一种简单而有效的方法[60, 142]。

横置圆筒闸体绕流流场是典型的水气两相流，流动区域中的水与大气互不相溶，存在水气界面，属于自由表面流动，且该流动是典型的非定常流动，故本书采用 VOF 模型来对自由表面进行跟踪计算。VOF 模型对自由表面的跟踪计算，是将自由面看成异相流体的界面，从而使"自由面"转化为"内流面"，不再作为边界面，可以避免处理"动边界"带来的数学困难。其流体的体积分数决定自由表面的位置。VOF 方法将混合流体中一种流体的流动视为主流态，其他流体的流动视为辅流态。对每一种辅流态，在每一计算单元内定义一体积函数[143]。在单元中，用 α_q 表示第 q 相流体的体积函数，分为以下三种情况[144]：

$$\begin{cases} \alpha_q = 0 & \text{表示该单元内没有}q\text{相流体} \\ 0 < \alpha_q < 1 & \text{表示该单元内存在流体间的界面} \\ \alpha_q = 1 & \text{表示该单元体内充满第}q\text{相流体} \end{cases}$$

对于水气两相流，水一般作为不可压缩流体，其体积函数的输移扩散方程为

$$\frac{\partial a_q}{\partial t} + u_i \frac{\partial a_q}{\partial x_i} = 0 \tag{2-46}$$

式中，t 为时间；u_i 和 x_i 分别为速度分量和坐标分量，且 $\sum_{q=1}^{n} a_q = 1$。

由方程（2-46）可知，水的体积分数是时间 t 和空间坐标 x_i 的函数，它随着时间和空间坐标的变化而变化，因此，VOF 模型对水流流场的求解须采用瞬态求解。通过求解以上的输移扩散方程来对水气界面进行跟踪计算[145]。

输运方程中的特性参数在每一控制体中将由几种流态的组合来表示，对于水

气两相流，分别用下标 w 和 a 表示，单元的密度 ρ 可表示为

$$\rho = \alpha_w \rho_w + (1 - \alpha_w)\rho_a \tag{2-47}$$

其他特性参数均以此方法计算。

整个计算域中只求解单一的动量方程，计算所得速度场可为所有相提供计算依据。动量方程取决于由 ρ 和 μ 决定的所有相的容积比率，动量方程为[146]

$$\frac{\partial}{\partial t}(\rho u) + \nabla \cdot (\rho u u) = -\nabla \cdot \left[\mu\left(\nabla u + \nabla u^T\right)\right] + \rho g + F \tag{2-48}$$

式中，F 表示微元体积力；ρ、μ 表示平均密度和平均动力黏滞系数，按式（2-47）的方法计算。

水气界面的确定方法有物质接受（Donor-acceptor）、几何重构法（Geometric reconstruction）、Euler 显式和 Euler 隐式四种方法[61]。

Donor-acceptor 法只适用于四边形、六面体网格，根据界面网格的 Donor-acceptor 属性确定界面处对流量。真实自由水面、Geometric reconstruction 格式的自由水面及 Donor-acceptor 格式的自由水面的比较见图 2-3。

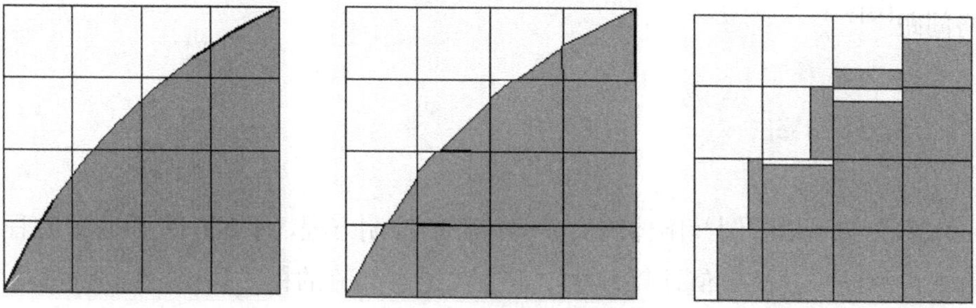

（a）真实自由水面　（b）Geometric reconstruction 格式　（c）Donor-acceptor 格式

图 2-3　自由水面形状示意图

Geometric reconstruction 法是采用分段线性方法表示界面位置，适用于非结构网格，比较精确。该方法通过体积分数和它在单元中的梯度来计算线性交界面相对于每一个部分充满的单元中心的位置，然后根据所得的线性交界面位置和每个面上的法向和切向速度分布计算通过每个面的对流流量，再根据计算通量的平衡

再计算每个单元的体积分数[62]。

Euler 显式法对所有控制单元表面通量的计算采用标准显式差分格式[77]，即

$$\frac{\alpha_q^{n+1}-\alpha_q^n}{\Delta t}V+\sum_f\left(U_f^n\cdot\alpha_{qf}^n\right)=0 \tag{2-49}$$

式中，n 表示当前时间步指示因子；α_{qf} 表示单元面第 q 相体积分数计算值；V 表示控制单元体积；U_f 表示控制单元表面体积通量。

Euler 隐式法对所有控制单元表面通量的计算采用隐式差分格式[77]，即

$$\frac{\alpha_q^{n+1}-\alpha_q^n}{\Delta t}V+\sum_f\left(U_f^n\cdot\alpha_{qf}^{n+1}\right)=0 \tag{2-50}$$

由于公式中包含当前时间步的体积分数，所以计算中要对第二相体积分数迭代求解。

本书中 VOF 模型对自由表面的跟踪是采用几何重构法来确定，在每一单元中，水气界面是具有不变斜率的斜线段[147]。由图 2-3 可以看出，网格足够密时，就可以用分段线性曲线来近似代替光滑曲线，可以满足其计算精度。当网格较稀疏时，用分段折线代替曲率较大的自由水面时就会带来较大误差。因此，在自由水面波动剧烈的位置，应对网格进行加密，变化幅度较小的区域可以增加网格间距[75]。

2.6 本章小结

本章介绍了横置圆筒闸体绕流流动计算的控制方程，即 Navier-Stokes 方程及其解法。总结了湍流数值计算方法，重点讨论了湍流的模式理论，特别是 k-ε 系列双方程模型，并分析了各种湍流模型的优劣势及其在流场解析中的适用性。通过分析比较各湍流模型和求解方法，确定了本书的计算模型和数值求解方法。重点讨论了本书中对自由表面进行跟踪计算的两相流模型（VOF）及其水气界面确定的基本思想和求解步骤，为后续流场的数值模拟及其模型选择提供了必要的理论依据。

第3章 浊水资源取水建筑物的闸门物理模型试验

水力自动滚筒闸门可提高洪水资源中多泥沙和高含沙水流的利用率，该闸门具有结构简单，自动化程度高以及调节性能和运行条件好的优点，故该闸门具有较好的发展前景。但是，目前对该闸门的研究还处于探索阶段，闸体表面的水力特性及其闸体动水压力的计算模式无法确立，试验模型就难以设计，因此，横置圆筒闸体的水力学特性是水力自动滚筒闸门设计的基础和依据。

先前的试验已经证明水力自动滚筒闸门在清水中和多泥沙河流中的可行性，对该闸门进行进一步的研究、设计，横置圆筒闸体的水力学特性是关键所在。因此，首先对横置圆筒闸体的简化模型进行了模型试验，对闸体表面的动水压力进行量测，为进一步对横置圆筒闸体表面水力学特性的研究提供依据。

试验研究分为原型试验和模型试验两部分。原型试验对建筑物直接进行量测分析；模型试验是在保持物理相似的前提下，将原型试验在按比例缩小的模型中模拟，对模型试验中力学参数量测、记录和分析，进一步分析原型试验中的力学过程。模型试验可人为控制关键因素（如水位、流量、流速等），从而为优化设计提供参考。

模型试验是研究绕流流场较为直接的方法，虽不能做到模型和的原型物理量都完全相同，但目前它仍是一种有效解决问题的方法。模型试验过程中，试验所用的测量仪器和方法是试验成功与否的关键。因此，本书针对横置圆筒绕流流场水流复杂的特点，采用八线流速仪、电磁流量计和压力传感器等对绕流流场的流速、过闸流量及其圆筒表面的动水压力进行了详细测量。模型试验的主要目的是对横置圆筒绕流流场中圆筒表面动水压力的时均值及脉动值进行初步实测研究，且该实测结果用于第 4 章中数值模拟计算结果的率定。

3.1 基本原理

研究水利工程建筑物，主要对建筑物和水流运动进行深入分析，其力学分析主要包括理论计算和试验研究两部分。

在水工模型中，当水流的水力要素只是沿水流纵向和垂向两个坐标的函数时，可在二元水槽中进行断面模拟研究；当水力要素与空间三个坐标有关时，常须制作整体模型进行研究。具有自由水面的流动，因惯性力和重力为主要作用力，故重力相似（弗汝德相似准则）是首先要满足的条件；当局部水流现象必须模拟时，须采用正态模型；建筑物顺水流方向较短时，一般沿程损失可以忽略，但对于较长的泄洪洞或溢洪道，沿程阻力损失是必须考虑的，须满足阻力相似[148]。

水工模型主要用于研究水利工程中的常规问题，通过量测模型中的水流流量、流速、压力，进而优化枢纽布置及建筑物的体型、尺寸等。进行水工模型试验的基础是模型与原型满足几何相似、动力相似和运动相似条件。然而，同时满足几何、动力和运动三种相似条件的完全相似难度较大。因此，在模型试验时，首先需保证模型几何相似，当几何相似满足时，运动相似可基本满足。对于动力相似条件，则需选择主要方面来考虑，在横置圆筒绕流流场中，水流主要受重力作用，根据牛顿相似准则，保证牛顿数 $Ne=\dfrac{F}{\rho L^2 v^2}$（$F$ 为作用力，ρ 为密度，L 为长度，v 为速度）相等，就可以求出只有重力作用下流体运动的相似准则[75]：

$$\frac{v_P}{g_P L_P}=\frac{v_M}{g_M L_M} \tag{3-1}$$

式中，g 为重力加速度；下标 P、M 分别表示原型和模型。由上式可知，当只有重力作用时，需满足弗汝德数 Fr 相等。用 λ 表示原型和模型的比尺，下标 v、Q、L、t、F、P、W、N 分别表示速度、流量、长度、时间、力、压强、功和功率。由式（3-1）可推导出模型各种物理量的比尺与长度比尺 λ_L 的关系[75]：

①流速比尺：

$$\lambda_v = \frac{v_P}{v_M} = \sqrt{\frac{L_P}{L_M}} = \lambda_L^{0.5} \tag{3-2}$$

②流量比尺：

$$\lambda_Q = \frac{Q_P}{Q_M} = \frac{A_P v_P}{A_M v_M} = \lambda_A \lambda_v = \lambda_L^2 \lambda_L^{0.5} = \lambda_L^{2.5} \tag{3-3}$$

③时间比尺：

$$\lambda_t = \frac{\lambda_L}{\lambda_v} = \frac{\lambda_L}{\lambda_L^{0.5}} = \lambda_L^{0.5} \tag{3-4}$$

④力的比尺：

$$\lambda_F = \frac{M_P Q_P}{M_M Q_M} = \frac{\rho_P v_P \left(\dfrac{d_v}{d_t}\right)_P}{\rho_M v_M \left(\dfrac{d_v}{d_t}\right)_M} = \lambda_\rho \lambda_L^3 \tag{3-5}$$

⑤压强比尺：

$$\lambda_P = \frac{\lambda_F}{\lambda_A} = \frac{\lambda_\rho \lambda_L^3}{\lambda_L^2} = \lambda_\rho \lambda_L \tag{3-6}$$

⑥功的比尺：

$$\lambda_W = \lambda_F \lambda_L = \lambda_\rho \lambda_L^4 \tag{3-7}$$

⑦功率比尺：

$$\lambda_N = \frac{\lambda_W}{\lambda_t} = \frac{\lambda_\rho \lambda_L^4}{\lambda_L^{0.5}} = \lambda_\rho \lambda_L^{3.5} \tag{3-8}$$

当原型和模型所用流体相同时，$\lambda_\rho = 1$。根据原型及以上的相似比尺，则可做出与原型相似的水工模型[75]。

3.2 试验目的

水力自动滚筒闸门主要是利用水压力产生的推动力矩、闸门自重以及闸门配重产生的回复力矩实现自动启闭，从而自动调节水流、排沙。圆筒闸体顺水流方向滚动开启的动力是作用在闸体上指向下游水压力的合力。当闸门未开启前，作用在闸体上的力为静水压力，从闸底开始过水，作用力为动水压力和净水压力的合力。目前对作用在弧形闸门上的动水压力研究较多，对水流中横置圆筒表面的动水压力的研究还相对较少。为此，首先对上游水深在滚筒闸顶以上、滚筒闸顶以下等不同开度时，滚筒闸体在清水中动水压力的变化进行物理模型试验研究。揭示横置圆筒闸体表面动水压力的分布规律，为水力自动滚筒闸门的研发利用提供理论依据。

3.3 模型试验设计及主要装置

3.3.1 模型试验

圆筒闸体在水流中是根据上游来水量和水位的变化，不断滚动改变位置实现自动启闭的，为方便对某一固定滚筒闸下开度和上游水深条件下水流中圆筒闸体表面的动水压力进行量测，将圆筒闸体简化为只能沿闸槽上下移动的横置圆筒。闸体模型如图 3-1 所示。

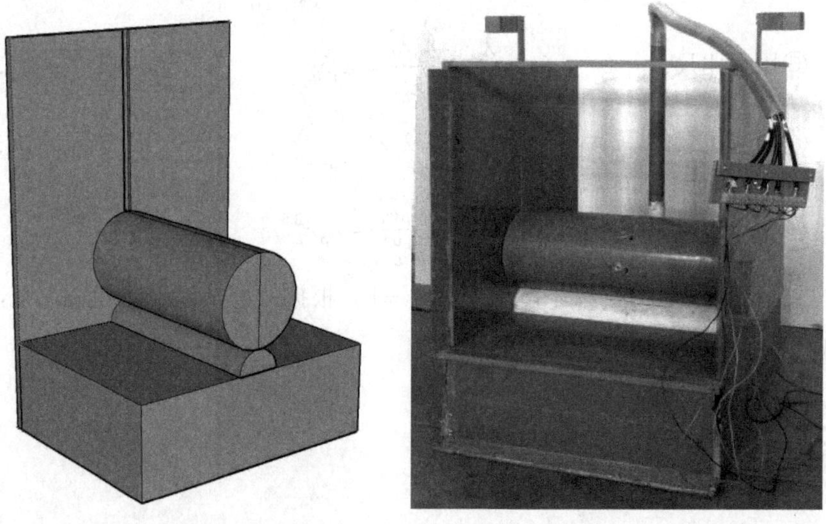

（a）闸体模型示意图　　（b）闸体试验模型

图 3-1 闸体模型示意图

根据试验场地和供水条件，试验是在（2 000×50×90）cm 的玻璃水槽中进行的，上游底坡 i=0.124%，闸体模型为长 47 cm、半径 10 cm 塑料圆管。筒两侧设闸槽，可使闸体垂直升降，以实现不同圆筒闸下开度时，闸体所受动水压力的量测。圆筒闸体下设置半径为 5.0 cm 的半圆形闸坎，下游距闸体 30 cm 处设 20 cm 跌坎，以保证圆筒闸体不受下游水位影响，出流条件为自由出流。

为量测闸体表面动水压力，在圆筒表面安装了压力传感器，由于圆筒尺寸的限制，只在圆筒闸体模型中央横断面的上游半圆周，与铅直向上方向夹角ϕ=0°、45°、90°、135°和 180°处布置五个（编号为 1 号、2 号、3 号、4 号和 5 号的测压点）压力传感器。在文中圆筒闸体上游水深、圆筒闸顶水深、圆筒闸下开度分别用 H、$h1$ 和 h 表示。闸体试验模型尺寸及测压点的布置如图 3-2 所示。

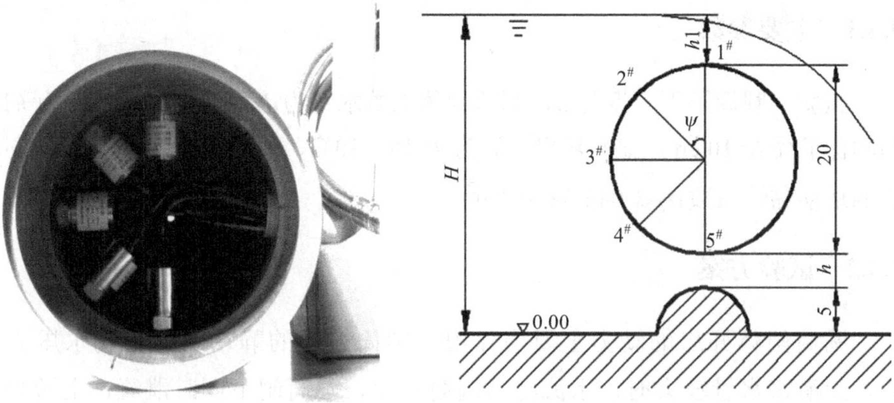

（a）模型试验传感器布置　　（b）模型尺寸及压力测量点的布置

图 3-2 滚筒闸体模型尺寸及测压点的布置（单位：cm）

3.3.2 试验装置

试验中的供水设施采用 200 m³/h 和 100 m³/h 的水泵，其流量满足试验要求，供水设备可保证在水位恒定条件下，不同圆筒闸下开度的供水。为了满足试验要求，使水流在横置圆筒附近达到平稳，水槽入口处采取了消能措施，且圆筒闸体上游水槽长达 15 m。

试验中过闸流量由布置在水槽上游的电磁流量计测量，在圆筒闸体上游 300 cm 处安装探针，以测量上游水深。采用八线智能流速仪对圆筒闸体上游上、中、下三个断面的流速进行测量。为了研究圆筒闸体表面动水压力的分布，在圆筒中央横断面 1 号、2 号、3 号、4 号、5 号五个测压点处，安装 CYB13I 压力传感器，通过压力传感器测定瞬时压力变量，用 USB 接口将 NIUSB—6211 多功能数据采集卡和计算机连接，利用 EaziDAQ 数据记录软件实时记录试验结果。本量测系统每秒可记录 5×1 000 组数据。为了提高试验精度，减小误差，对每一工况取

2 min 的数据进行脉动压力及其时均压力处理。

3.4 模型试验主要参数及方案

3.4.1 主要参数

试验中圆筒闸下开度为 h，圆筒闸体上游水深为 H，圆筒闸顶水深为 $h1$。圆筒闸体半径 R=10 cm，试验环境水温为 T=18～20℃，水的密度 ρ =998.255 kg/m^3，水的运动黏性系数 υ =1.046 6×10^{-4} m^2/s。

3.4.2 试验方案

圆筒闸体开启的动力主要为作用于圆筒表面的静水压力与动水压力的合力，上游来水量较大时，水流将从圆筒闸顶、圆筒闸下同时泄流，上游来水量较小时，仅筒下泄流。当上游水深在中心线以下时，圆筒表面的受力与弧形闸门相似，为了与弧形闸门动水压力计算值比较，本书对不同工况时圆筒表面的动水压力进行了实测，具体对以下三种过流情况圆筒闸体表面的动水压力进行了实测或模拟计算：

①上游水深在圆筒闸顶以上，即圆筒上、下均过水；

②上游水深在圆筒闸顶以下中心线以上，仅筒下过水；

③上游水深在中心线以下，仅圆筒闸下过水（该情况与弧形闸门相似）。

由于闸体附近的流动为湍流，水力特性随时间变化。在试验实测过程中，进行连续 2.0min 的压力数据采集，再对脉动压力值进行时均处理。

为研究水流绕流横置圆筒闸体时，不同工况下圆筒闸体表面动水压力的变化规律，结合试验室条件，设计圆筒闸下开度 h 分别为 0 cm、1 cm、2 cm、3 cm、4 cm、5 cm，闸顶过水深度 $h1$ 为 0 cm、1 cm、2 cm、3 cm、4 cm、5 cm、6 cm、7 cm，对上游水深在圆筒闸顶以下、仅圆筒闸下过水的方案进行量测。在模型试验中，调节圆筒闸顶水深和上游水深为整数难度较大，因此进行了近似取值，各试验方案见表 3-1～表 3-3。

表 3-1　上游水深在闸顶以上时试验处理

闸下开度 h/cm	闸顶水深 h1/cm							
	0	1	2	3	4	5	6	7
0		√	√	√	√	√	√	√
1	√	√	√	√	√	√	√	√
2	√	√	√	√	√	√	√	√
3	√	√	√	√	√	√	√	√
4	√	√	√	√	√	√	√	√
5	√	√	√	√	√	√	√	√

表 3-2　上游水深在闸顶以下中心线以上时试验处理

闸下开度 h/cm	上游水深 H/cm													
	29	28	27	26	25	24	23	22	21	20	19	18	17	16
1					√	√	√	√	√	√	√	√	√	√
2				√	√	√	√	√	√	√	√	√	√	
3			√	√	√	√	√	√	√	√	√	√		
4		√	√	√	√	√	√	√	√	√	√			
5	√	√	√	√	√	√	√	√	√	√				

表 3-3　上游水深在中心线以下时试验处理

闸下开度 h/cm	上游水深 H/cm									
	19	18	17	16	15	14	13	12	11	10
1					√	√	√	√	√	√
2				√	√	√	√	√	√	
3			√	√	√	√	√	√		
4		√	√	√	√	√	√			
5	√	√	√	√	√	√				

3.5 试验结果及分析

3.5.1 时均压力分析

3.5.1.1 上游水深在闸顶以上，圆筒闸体表面动水压力分布

上游来水量较大时，水力自动滚筒闸门具有滚筒闸顶和滚筒闸底同时过水的特点，因此，本书对圆筒闸下不同开度，圆筒闸顶不同水深时横置圆筒表面动水压力时均值进行了试验研究。

（1）闸下开度一定，闸顶不同水深时，圆筒闸体表面压力时均值分布

图 3-3 给出了闸下开度 *h*=1 cm、3 cm、5 cm，不同筒顶水深时圆筒闸体迎水面的动水压力时均值分布图。横坐标表示圆筒闸体表面上各测压点与铅直向上方向的夹角，纵坐标表示各测压点的压力值。

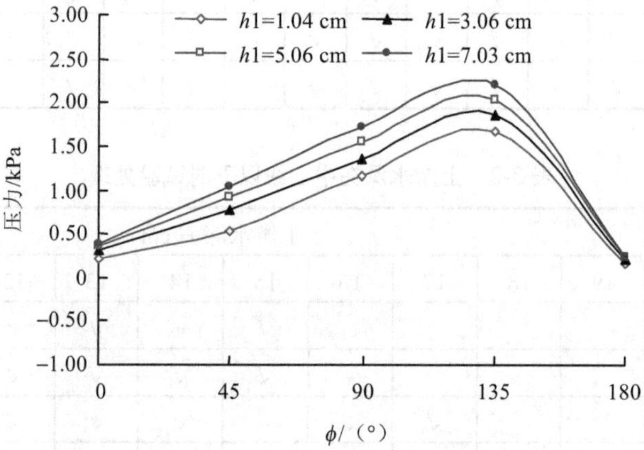

（a）*h*=1 cm

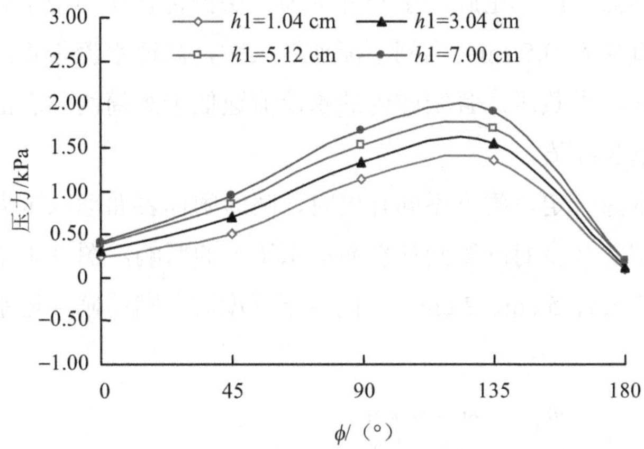

（b）h=3 cm

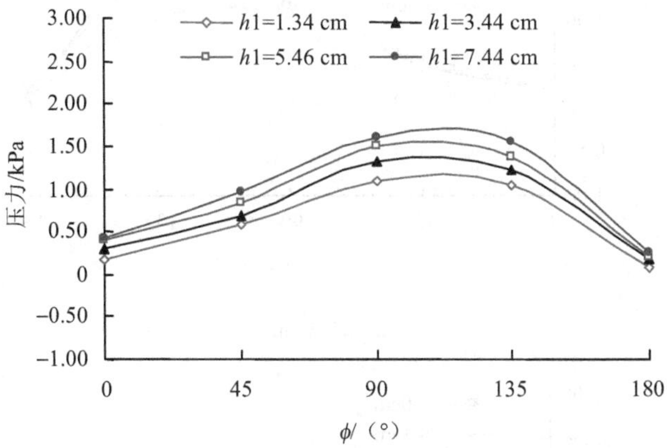

（c）h=5 cm

图 3-3　闸顶水深对圆筒闸体表面动水压力时均值影响

由图 3-3 可知，①各工况时，圆筒闸体表面动水压力分布曲线呈开口向下的抛物线，分布规律基本相似，均呈先增大后减小趋势，135°～180°之间，下降幅度较大。且当闸下开度一定，圆筒闸体迎水面的动水压力随着闸顶水深的增加而逐渐增大。②圆筒闸体最上方和最下方的测点（1 号和 5 号点）动水压力绝对值明显小于圆筒闸体其他部位的压力值。③圆筒闸体最下方的 5 号点处，压力值最小，且为负值，但绝对值较小。主要原因可能是，闸下开度较小时，该处流速较大，压力传感器为一凹形空腔，空腔外部为一保护传感器的带小孔金属片，而传感器的受力孔直径为 0.5 cm，当闸下流速较大时，高速水流带走压力传感器空腔内的部分空气而产生负压。且空腔内的水流流速低于圆筒闸体表面流速，故该点所测压力值大于实际值。

（2）闸顶水深一定，闸下不同开度时，圆筒闸体表面动水压力时均值分布

为了研究闸下开度对圆筒闸体表面动水压力的影响，图 3-4 给出了闸顶水深 *h*1 约为 1 cm、3 cm、5 cm、7 cm，不同闸下开度时，圆筒闸体迎水面动水压力分布曲线。

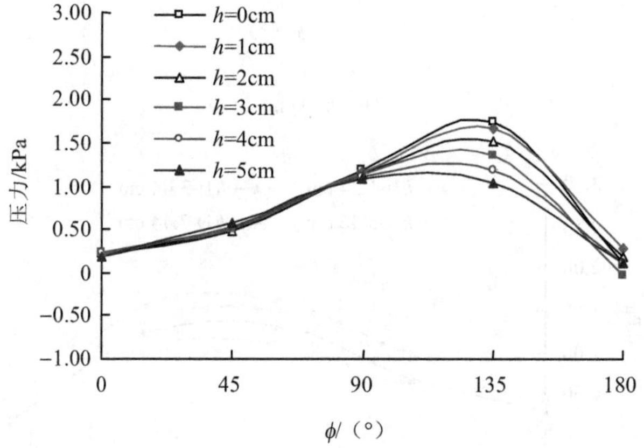

（a）*h*1=1 cm

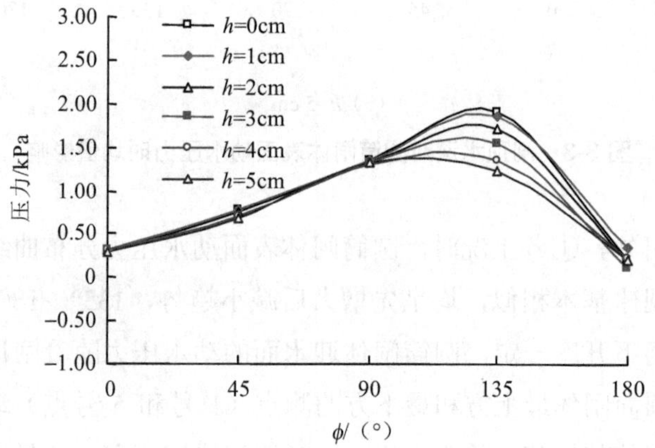

（b）*h*1=3 cm

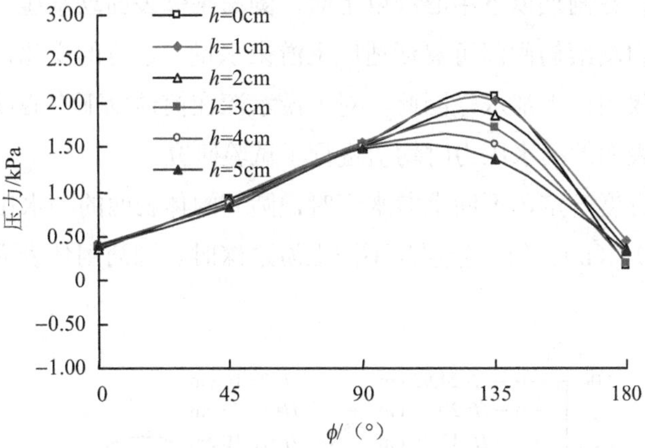

（c）$h1$=5 cm

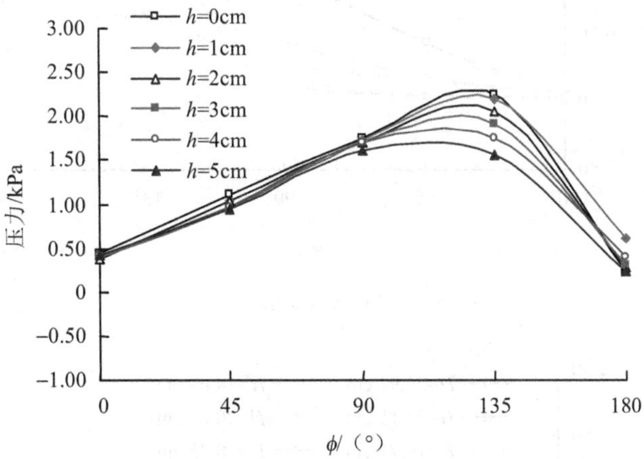

（d）$h1$=7 cm

图 3-4　闸下开度对圆筒闸体表面动水压力时均值影响

由图 3-4 可知，当闸顶水深一定时，随着闸下开度的加大，圆筒闸体表面中心线以上（0<ϕ<90°）区域，各点动水压力变化幅度较小；而中心线以下（90°<ϕ<180°）区域，各点动水压力与呈负相关，闸下开度的加大，动水压力逐渐减小。原因可能是随着闸下开度的加大，闸下过流量加大，流速较小，故中心线以下区域各点动水压力减小，该结果与伯努利方程理论相吻合。

3.5.1.2 上游位在闸顶以下中心线以上时，圆筒闸体表面动水压力分布

由于水力自动滚筒闸门可灵活适应上游来水量和水位的变化，在来水量较小时，滚筒闸门仅由筒下泄水，因此，对上游水深在筒顶以下中心线以上不同工况时，圆筒闸体表面的动水压力时均值进行了试验研究。

（1）闸下开度一定，不同上游水深时，圆筒闸体表面的动水压力分布

图 3-5（a）、（b）、（c）分别为不同上游水深时，圆筒闸体表面动水压力时均值分布。

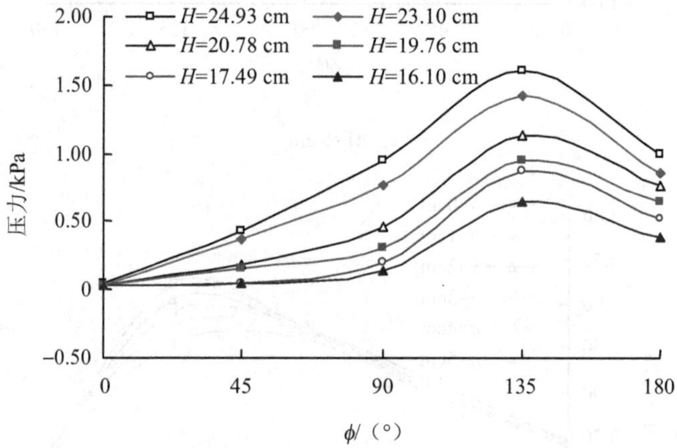

（a）h=1.0 cm

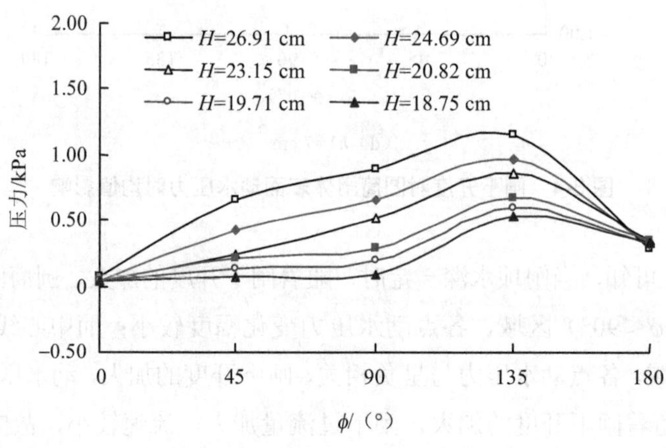

（b）h=3.0 cm

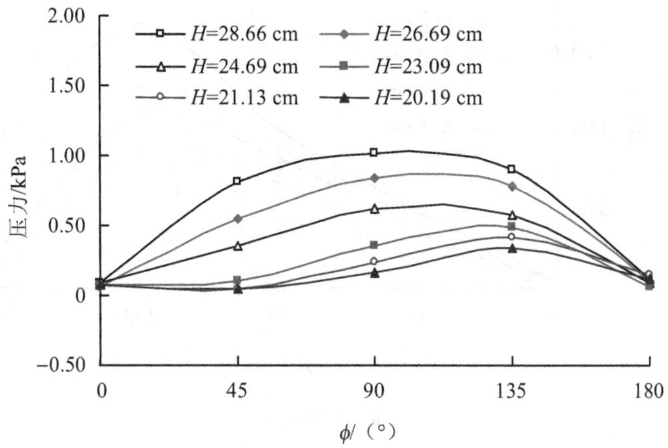

（c）h=5 cm

图 3-5　上游水深对圆筒闸体表面动水压力时均值分布影响

由图 3-5 可知，当闸下开度一定，上游水深在闸顶以下、中心线以上且不同水深时，各工况圆筒闸体表面动水压力变化规律相似，闸体表面动力水压力曲线呈开口向下的抛物线，呈先增大后减小趋势。且水面以下圆筒闸体表面动水压力随着上游水深的增加逐渐增大，4 号点动力水压力与闸下升度呈负相关，闸下开度为 1.0 cm 时，闸下流速较大，因此动水压力较大，最大值为 1.51 kPa；闸下开度为 5.0 cm 时，4 号点动水压力最大值为 0.91kPa。另外，上游水深对圆筒下方 5 号测压点的动水压力影响较小。该工况时，通过闸下泄流，圆筒闸体最下方流速较大，可能是高速水流在压力传感器空腔内产生负压所致，该点处湍流被动较大可能对动水压力影响较大。

（2）上游水深一定，闸下不同开度时，圆筒闸体表面动水压力时均值分布

图 3-6（a）、（b）、（c）分别为上游水深 H 约为 26 cm 和 23 cm，闸下不同开度时，圆筒闸体表面动水压力时均值分布。

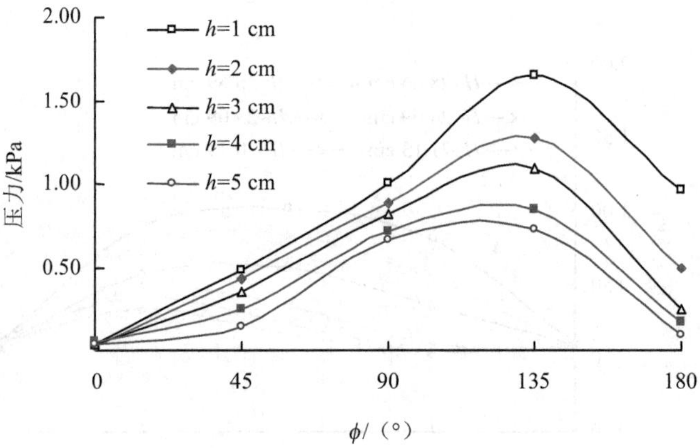

（a）H=26 cm

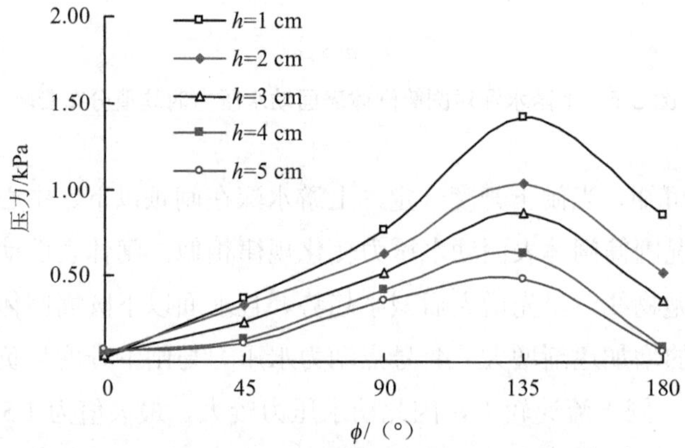

（b）H=23 cm

图 3-6　闸下开度对圆筒闸体表面动水压力时均值影响

由图 3-6 可知，当上游水面线在圆筒闸顶以下、中心线以上，且上游水深一定时，水面以下圆筒闸体表面各点动水压力随着闸下开度的加大逐渐减小，原因可能是上游水深一定时，随着闸下开度的加大，闸下过流流量加大，且各点距水面的距离逐渐减小，故水压力逐渐减小。由图 3-6 可知，在圆筒中心线以下各点随着闸下开度的加大，压力减小梯度大于圆筒中心线以上各点压力减小梯度。

3.5.1.3　上游水深在圆筒中心线下时，圆筒表面的压力分布

当上游水深在中心线以下，仅筒下过流时，闸体迎水面中心线以下闸体表面

的动水压力分布与弧形闸门门叶表面的动水压力分布相似，为了研究该工况下闸体表面的动水压力，本书对闸下不同开度，上游水位在中心线以下时，不同工况进行了试验研究。

（1）闸下开度一定，上游水深对圆筒闸表面的动水压力影响

图 3-7（a）、（b）、（c）分别为闸下开度 h=1 cm、3 cm、5 cm，上游不同水位时，闸体表面动水压力分布。在试验中，由于模型尺寸的限制，布置压力传感器的数量有限，当水位在中心线以下时，仅有 4 号测压点和 5 号测压点在水面以下，即只有在 4 号点和 5 号点处测压力值，因此本书中只对 3 号、4 号、5 号测压点所测得压力值进行分析。

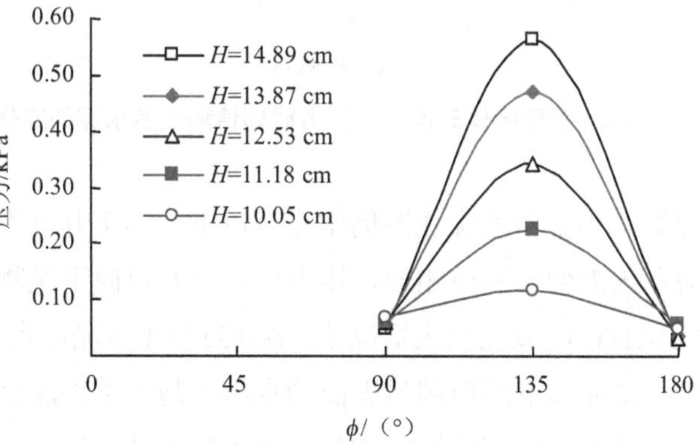

（a）h=1 cm

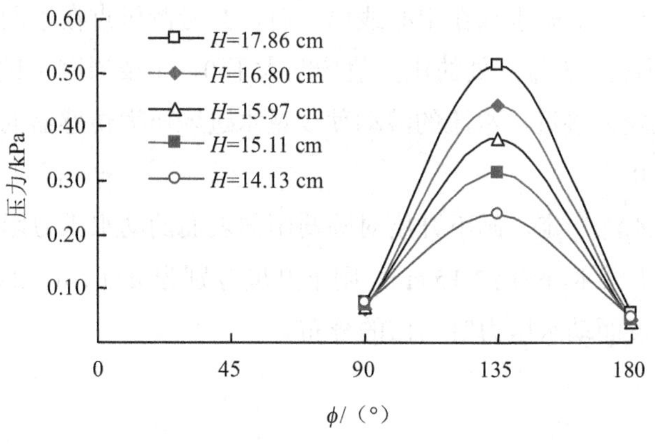

（b）h=3 cm

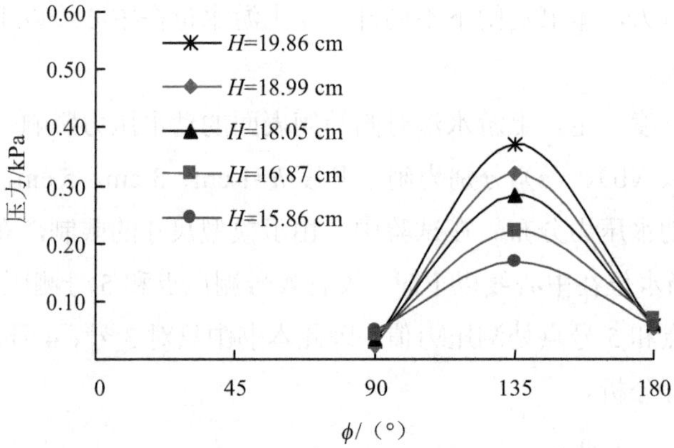

（c）h=5 cm

图 3-7 圆筒闸体表面动水压力时均值随上游水深的变化

由图 3-7 可知，当上游水深在圆筒中心线以下，闸下开度不变，上游水深变化时，各工况动水压力变化规律相似，压力曲线呈开口向下抛物线形状，即动水压力值在 90°＜ϕ＜180°区域先增大后减小，ϕ=135°（4 号测压点）附近达到最大。闸下开度一定时，水面以下圆筒闸体表面动水压力与上游水深呈正相关，随着上游水深的增加逐渐增大，且变化幅度均匀。由于闸下开度较小，流速较大，高速水流可能使压力传感器空腔处形成负压，故圆筒闸体最下方 5 号处压力值较小，且变化幅度较小。上游水深在中心线以下时，3 号测压点在水面以上，理论值应为 0，但实测所得，3 号点处的压力值均略大于 0，主要原因是试验过程中，水面与 3 号测压点较为接近，水流的波动使少量水进入压力传感器的空腔，故该点实测压力值大于 0。

（2）上游水深一定，闸下开度对圆筒闸体表面的动水压力影响

图 3-8 为上游水深 H 约 15 cm，闸下开度分别为 h=1 cm、2 cm、3 cm、5 cm 时，圆筒闸体表面动水压力时均值的分布。

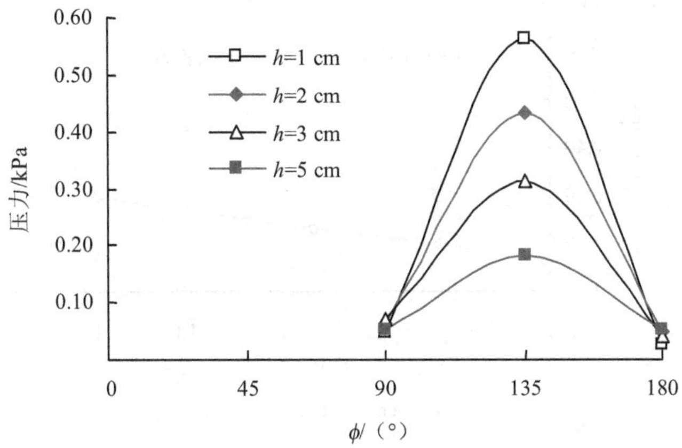

图 3-8　圆筒闸体表面动水压力时均值随闸下开度的变化

由图 3-8 可知，当上游水深在中心线以下，且水位一定时，动水压力与闸下开度呈负相关，随着闸下开度的加大，动水压力值减小；随着闸下开度的加大，闸体上升，圆筒表面各点与上游水位距离逐渐减小，故各点动水压力随着闸下开度的加大而减小。由于筒下流速较大，高速水流使圆筒下方压力传感器空腔处有负压产生，5 号测压点的压力值及变化幅度较小。

当上游水深在中心线以下，仅闸下过水，圆筒闸体表面中心线以下各点受力同弧形闸门类似，在该工况下，试验中只有 4 号和 5 号测压点在水面以下，由于圆筒闸体最下方 5 号测压点按弧形闸门公式进行计算时，动水压力值为 0，因此，仅对 4 号测压点在闸下开度一定，不同上游水深对闸体表面动水压力影响与采用弧形闸门计算值进行比较分析，其结果见图 3-9。

由图 3-9 可知，不同工况下实测值与计算值变化趋势较一致，闸下开度一定时，4 号测压点动水压力时均值均随着上游水深的升高而增加。但实测值和计算值存在一定差值，其原因可能是在模型试验中，圆筒闸体下方布置一半圆形闸坎，改变了闸下水流流态，而采用弧形闸门动水压力计算时，其实际开度为槽底距闸底的距离，由 3.5.1.2 中所得结论可知，当上游水深一定时，圆筒闸体表面各点动水压力随着闸下开度的增大而减小，故模型试验实测值大于弧形闸门动水压力公式计算值。

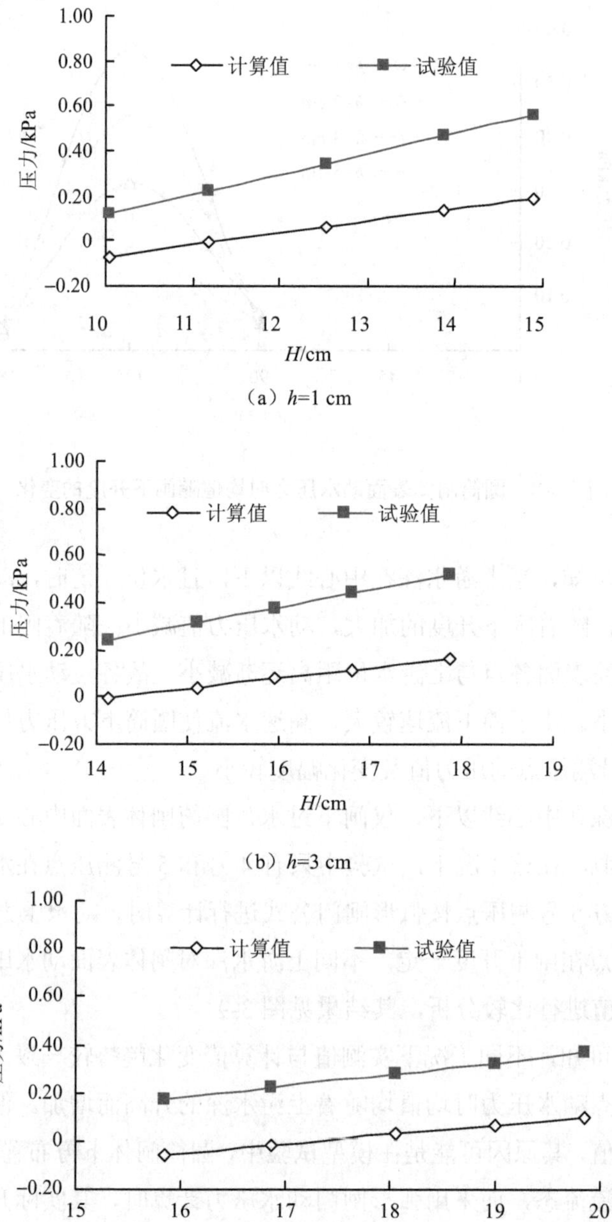

（a）h=1 cm

（b）h=3 cm

（c）h=5 cm

图 3-9 4 号测压点动水压力实测值与计算值对比

3.5.2　脉动压力分析

当闸门开启泄流时，受闸门周围边界条件影响，由于湍流水流的作用，闸门将产生脉动压力，脉动压力的存在给闸门的运行带来诸多不利因素，闸门振动主频率与闸门自振频率接近时会发生共振，当振动强烈、振幅较大时，会引起闸门的壳体失稳，导致重大事故发生。因此，对闸体的脉动压力进行研究至关重要，由于闸门边界条件复杂，水流的脉动压力不能很好地确定，故在模型试验中对上游水位在筒顶以上、闸顶以下中心线以上和中心线以下三种过流情况，圆筒闸体表面的脉动压力进行了分析研究。

3.5.2.1　上游水深在闸顶以上时，圆筒闸体表面的脉动压力分析

当上游来水量较大时，水流将从闸顶和闸底同时泄流，为了对该过流情况下，圆筒闸体表面各点脉动压力进行研究，本书中分别从以下三方面对圆筒闸体表面各点脉动压力进行分析。

（1）圆筒闸体不同位置的压力脉动分析

试验对圆筒闸体上、下均过水时，对不同闸下开度和上游水深圆筒闸体表面的压力脉动进行了量测。下面以闸下开度 h=2.0 cm，上游水深 H=32.04 cm 为例，对圆筒闸体表面各测压点的压力脉动进行分析。

图 3-10（a）、（b）、（c）分别为闸下开度 h=2.0 cm，上游水深 H=32.04 cm 时，测压点 1 号、3 号、5 号点的压力脉动时域特性图。Δp 为瞬时压力与时均压力之差。

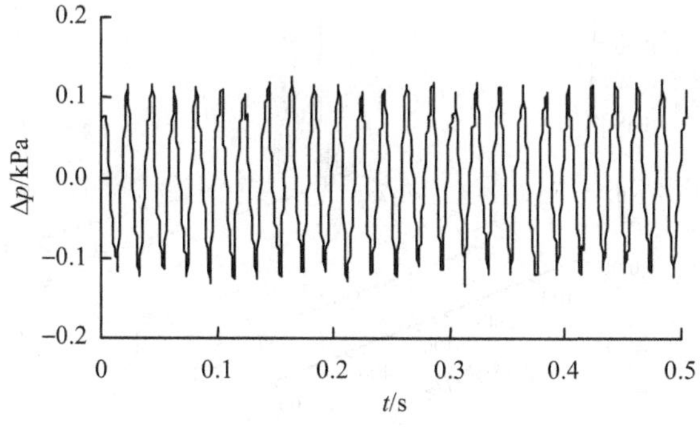

（a）1 号测压点

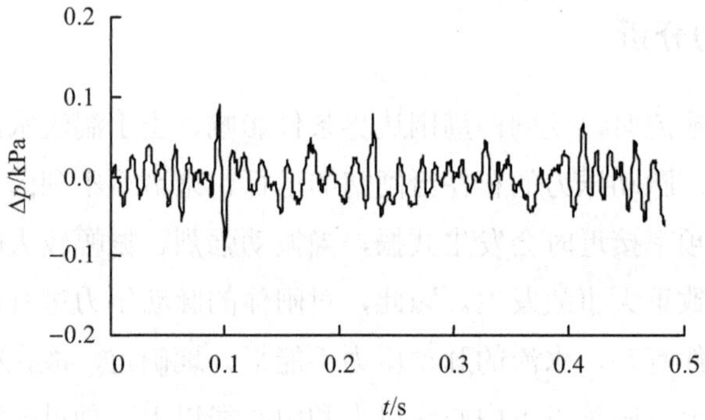

（b）3 号测压点

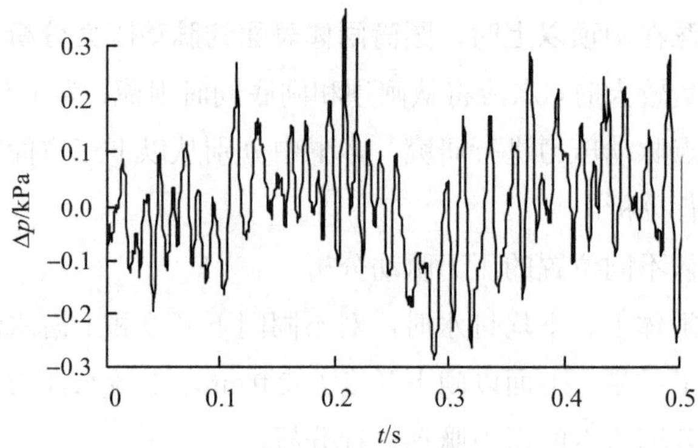

（c）5 号测压点

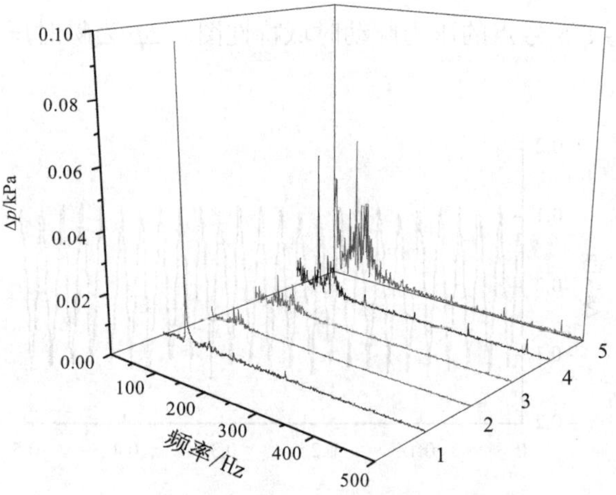

（d）滚筒闸体不同位置压力脉动频域图

图 3-10　滚筒闸体不同位置压力脉动时域图和频域图

由图 3-10 可以看出，各测压点的压力脉动呈现一定的规律性，3 号测压点压力脉动幅值最小，其最大压力脉动幅值为时均压力的 4%左右，5 号点处的压力脉动幅值最大，其最大压力脉动变化幅值为时均压力值的 290%，1 号点处的压力脉动周期性最为明显，且比较平稳，其最大压力脉动幅值为时均压力的 28%，可能是因为 1 号点是位于圆筒的最上方，在压力传感器的空腔内有空气存在，故使压力脉动的幅值加大。由此可知，5 号点的压力脉动波动幅度最大，可能是因为靠近闸底处的流速梯度和切应力都比较大，加之壁面间粗糙度干扰的影响也较大，因此，在靠近闸底附近容易形成涡体，导致压力脉动增强。当水流由闸顶、闸底上下同时泄流时，由于闸下开度小，圆筒闸体后面形成封闭空腔，空腔内的气体被高速水流带走，因此形成了脉动负压。该脉动幅值的不稳定是导致闸门疲劳的动荷载。

图 3-10（d）为通过快速傅里叶变换（FFT）后得到各测量点压力脉动频域图[149]。由图可知，在该工况下，各测量点压力脉动主频均为 f=50 Hz 左右，5 个测压点中，闸顶最上方 1 号点处的脉动幅值最大，主频幅值为 0.087 kPa，其次是圆筒最下方的 5 号点，主频幅值为 0.049 kPa，脉动幅值最小的是 2 号点，主频幅值为 0.006 kPa。且沿圆筒闸体表面向下，2 号、3 号、4 号和 5 号点小于 100 Hz 的低频脉动幅值逐渐增大。这是因湍流强度较大，不规则运动水流所致；另外，闸下开度小时、流体黏性和壁面间的影响也对其有一定的影响。

（2）闸下开度一定，上游水深对压力脉动的影响

为了研究上游水深对各闸体不同位置压力脉动的影响，以闸下开度 h=2 cm，上游水深 H 分别为 28.04 cm、30.02 cm、32.04 cm、34.04 cm 为例对各测压点的压力脉动进行分析。

①1 号测压点压力脉动分析。

图 3-11 为不同上游水深时 1 号测压点的压力脉动时域图和频域图。由其时域图（a）、（b）可知，各工况时压力脉动周期性特征显著，压力脉动变化频率较高，最大压力脉动幅值随着上游水深的升高逐渐增大，但增加幅度较小。H=28.04 cm 时，1 号点的最大压力脉动幅值为 0.11 kPa，H=34.04 cm 时，最大压力脉动幅值为 0.15 kPa，增加了约 36%。且随着上游水深的增加，1 号点压力脉动变化幅度较大。

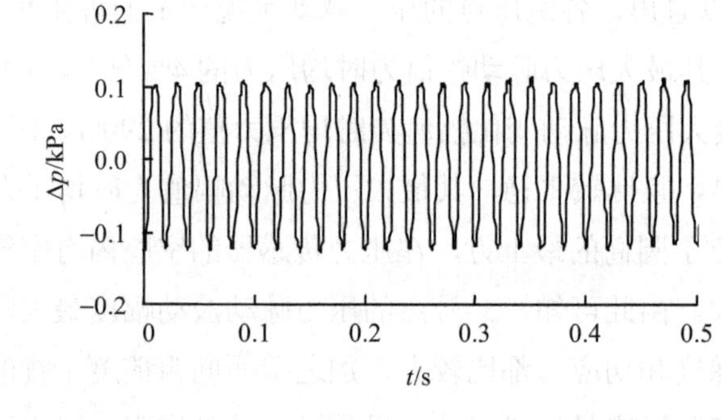

（a）H=28.04 cm

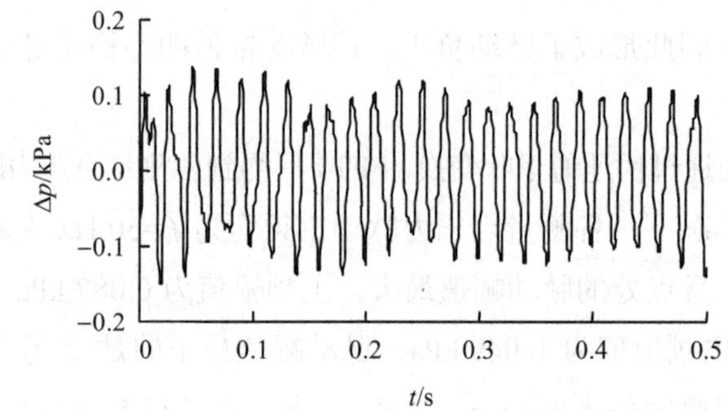

（b）H=34.04 cm

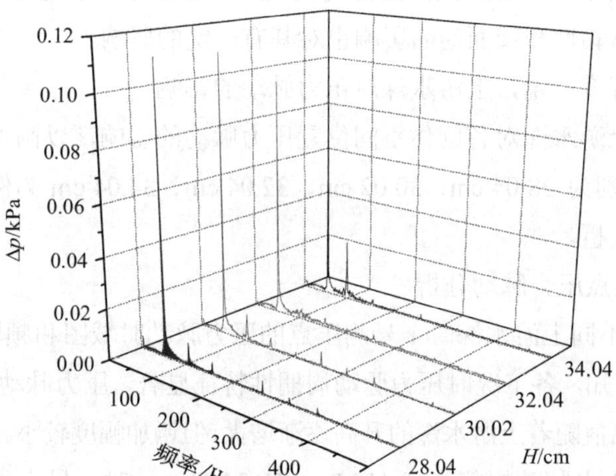

（c）不同上游水深时 1 号测压点频域特性图

图 3-11　上游水深对 1 号测压点压力脉动影响时域图和频域图

由压力脉动频域图 3-11（c）可以看出，上游不同水位时，1 号点压力脉动主频为 f=50 Hz，且主频幅值与上游水深呈负相关，随着上游水深的升高逐渐降低，H=28.04 cm 时，主频幅值为 0.11 kPa，H=34.04 cm 时，主频幅值为 0.098 kPa，降低了约 11%。

②2 号测压点压力脉动分析。

图 3-12 为不同上游水深时 2 号测压点的压力脉动时域图和频域图。由时域图 3-12（a）、（b）可知，压力脉动变化频率较高，最大压力脉动幅值与上游水深呈正相关，随着上游水深的增加而逐渐增大。H=28.04 cm 时，2 号点的最大压力脉动幅值为 0.03 kPa，远小于 1 号点的压力脉动幅值 0.11 kPa；约为时均压力值的 5.0%，H=34.04 cm 时，最大压力脉动幅值为 0.05 kPa，为时均压力值的 4.8%。由此可知，闸下开度一定时，随着上游水深的增加，2 号测压点时均压力的增加幅度大于最大压力脉动幅值的增加幅度。且随着上游水深的增加，压力脉动变化幅度较大。

由频域图 3-12（c）可以看出，在闸下开度一定，上游水深对 2 号点压力脉动的影响较小，频率均为 f=50 Hz 左右，且该测压点处的主频幅值相对较小；随着上游水深的增加脉动幅值逐渐降低，H=28.04 cm 时，主频幅值为 0.006 5 kPa，H=34.04 cm 时，主频幅值为 0.005 2 kPa，水位由 28.04 cm 升高到 34.04 cm，主频幅值约降低了 20%。

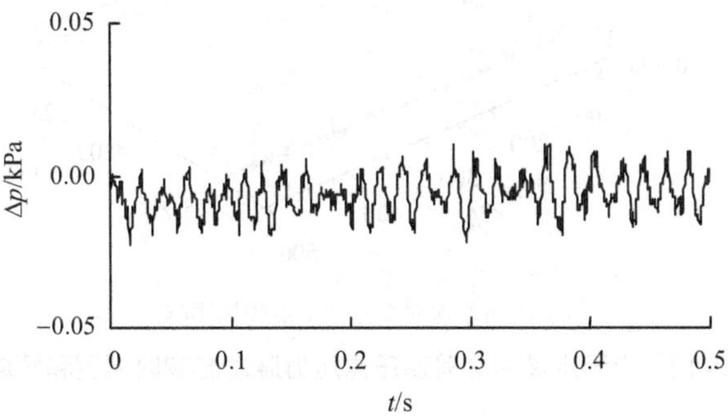

（a）H=28.04 cm

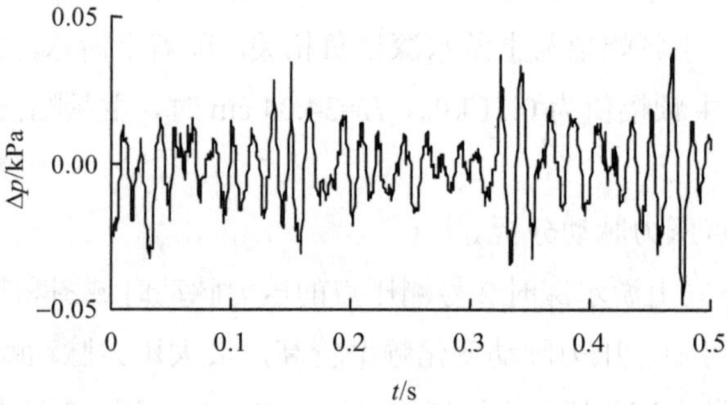

（b）H=34.04 cm

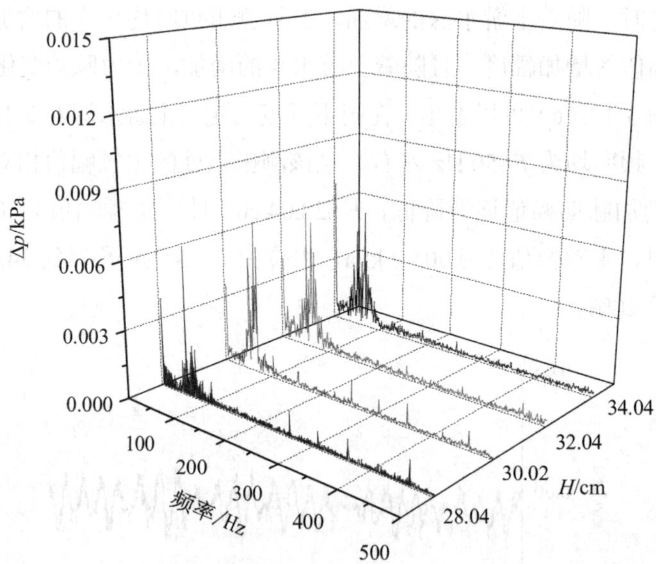

（c）上游水深对 2 号测压点频域影响图

图 3-12　上游水深对 2 号测压点压力脉动影响时域图和频域图

③3 号测压点压力脉动分析。

图 3-13 为上游水深对 3 号测压点的压力脉动影响时域和频域图。由时域图可知，各工况时压力脉动变化频率较高，且周期性不显著，最大压力脉动幅值随着上游水深的升高逐渐增大。H=28.04 cm 时，3 号点最大压力脉动幅值为 0.049 kPa，

为时均压力值的 4.2%，H=34.04 cm 时，最大压力脉动幅值为 0.093 kPa，为时均压力值的 5.4%。由此可知，闸下开度一定，随着上游水深的增加，3 号测压点最大压力脉动幅值的增加幅度大于时均压力值的增加幅度。且随着上游水深的升高，该点压力脉动变化幅度逐渐变大。

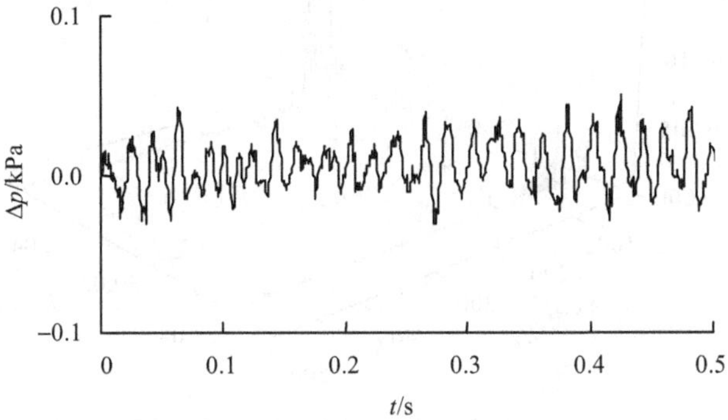

（a）H=28.04 cm

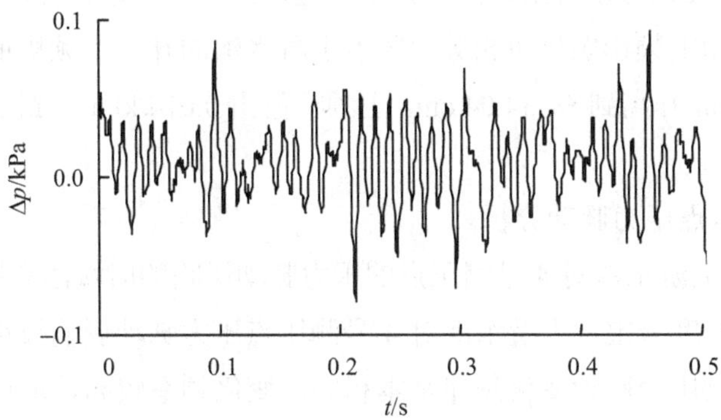

（b）H=34.04 cm

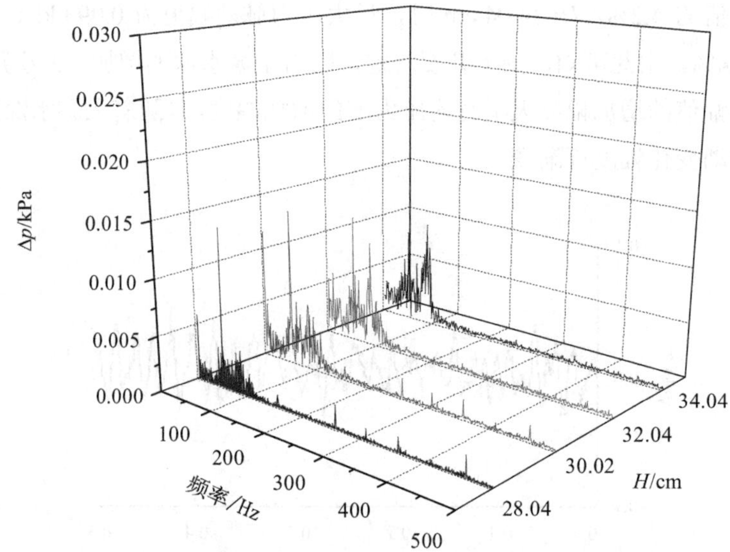

（c） 上游水深对 3 号测压点时频域影响图

图 3-13 上游水深对 3 号测压点压力脉动影响时域图和频域图

由图 3-13（c）可以看出，闸下开度一定，3 号点脉动主频为 f=50 Hz 左右，上游水深与脉动主频影响呈负相关，随着上游水深的升高主频幅值逐渐减小，水位从 H=28.04 cm 升高到 H=34.04 cm，主频幅值由 0.014 kPa 降到了 0.005 kPa，降低了约 64%。

④4 号测压点压力脉动分析。

图 3-14 为上游水深对 4 号测压点的压力脉动影响的时域图和频域图。由其时域图可知闸下开度一定，上游水深对 4 号测压点压力脉动影响较小，压力脉动变化与其他测压点压力脉动变化规律基本相同，变化频率较高，但周期性不明显。随着上游水深的升高最大压力脉动幅值逐渐增大。当 H=28.04 cm 时，4 号点的最大压力脉动幅值为 0.17 kPa，为时均压力值的 11.0%，当 H=34.04 cm 时，最大压力脉动幅值为 0.2 kPa，为时均压力值的 9.0%。由此可知，闸底开度一定时，随着上游水深的升高，4 号测压点时均压力值的增加幅度大于最大压力脉动幅值增加幅度。

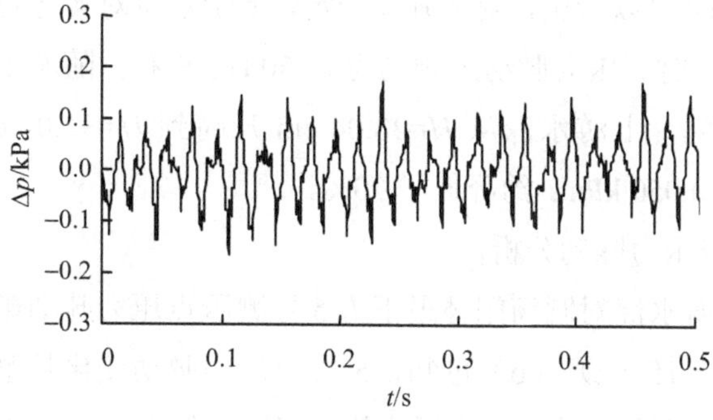

（a）H=28.04 cm

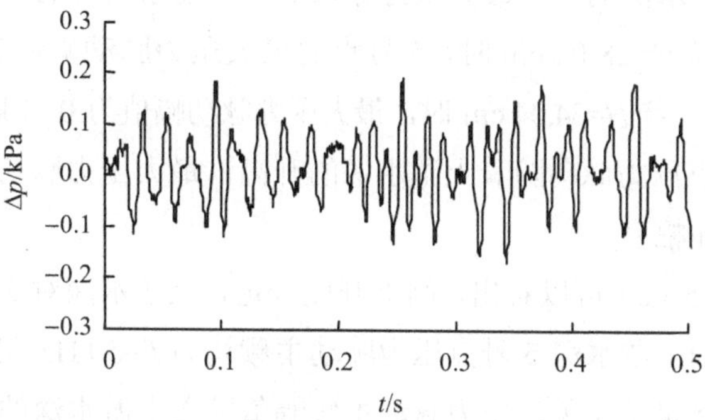

（b）H=34.04 cm

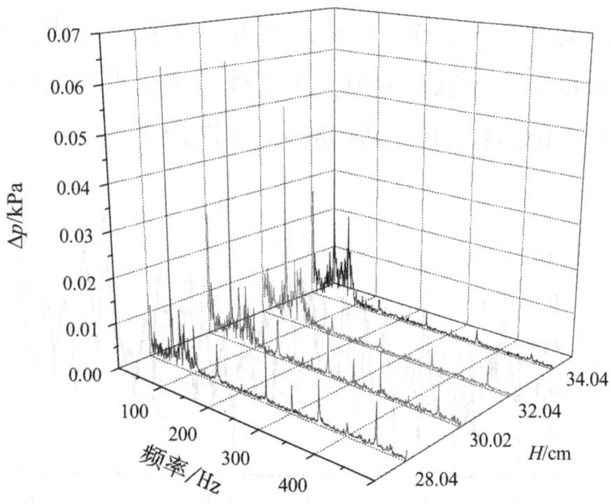

（c）上游水深对 4 号测压点频域影响图

图 3-14　上游水深对 4 号测压点压力脉动影响时域图和频域图

由图 3-14（c）可以看出，闸下开度一定，上游水位对 4 号点压力脉动主频影响较小，不同水位时其压力脉动主频均为 f=50 Hz 左右；随着上游水深的增加，主频幅值逐渐降低，上游水深从 H=28.04 cm 升高到 H=34.04 cm，主频幅值由 0.063 kPa 降到了 0.050 kPa，约降低了 20%。

⑤5 号测压点压力脉动分析。

图 3-15 为上游水深对圆筒闸体最下方 5 号测压点压力脉动影响的时域图和频域图。由时域图 3-15（a）、（b）可知，5 号点压力脉动变化频率较高，压力变化趋势与其他测压点压力的脉动变化规律基本相同，但 5 号点压力脉动变化周期性不明显，随着上游水深的升高最大压力脉动幅值有逐渐增大的趋势，且压力脉动变幅逐渐变大。当 H=28.04 cm 时，5 号点的最大压力脉动幅值为 0.30 kPa，为时均压力值的 298%，当 H=34.04 cm 时，最大压力脉动幅值为 0.41 kPa，为时均压力值的 95%。5 号点压力脉动随着上游水深的升高，最大压力脉动幅值增加幅度大于时均压力值增加幅度。

由频域图 3-15（c）可以看出，闸下开度一定，上游水深对 5 号点压力脉动主频影响较小，不同上游水深 5 号点压力脉动主频均为 f=50 Hz 左右。压力脉动主频幅值与上游水深呈负相关，压力脉动主频幅值随着上游水深的增加逐渐降低，上游水深从 H=28.04 cm 升高到 H=34.04 cm，主频幅值由 0.067 kPa 降到了 0.043 kPa，降低约 36%。由于圆筒闸体最下方为湍流运动且湍流强度较大，5 号测压点在低于 100 Hz 的低频脉动幅值大于其他各测压点的低频脉动幅值，且随着上游水深的升高低于 100 Hz 的低频脉动幅值逐渐增大。

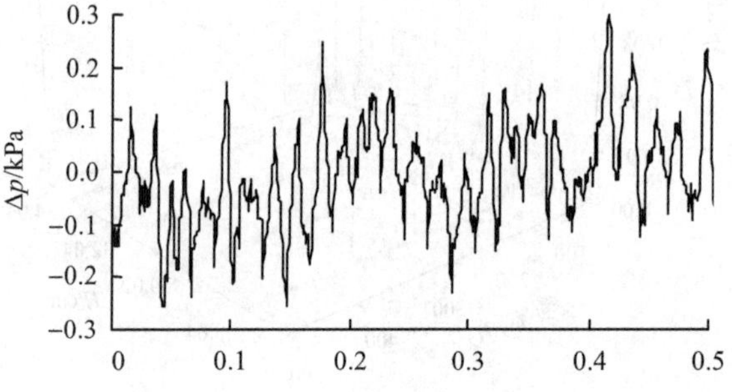

（a）H=28.04 cm

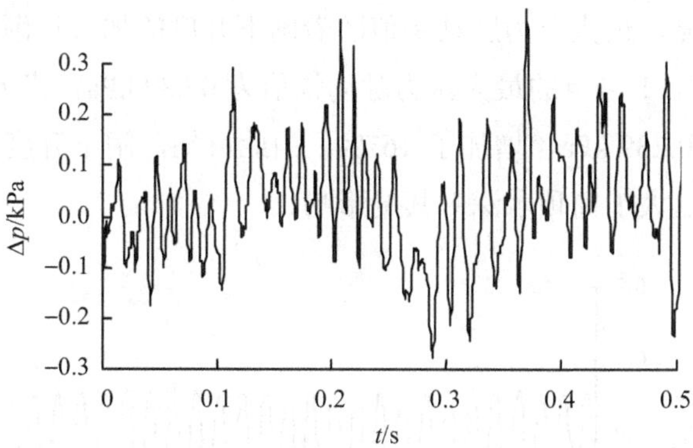

（b）H=34.04 cm

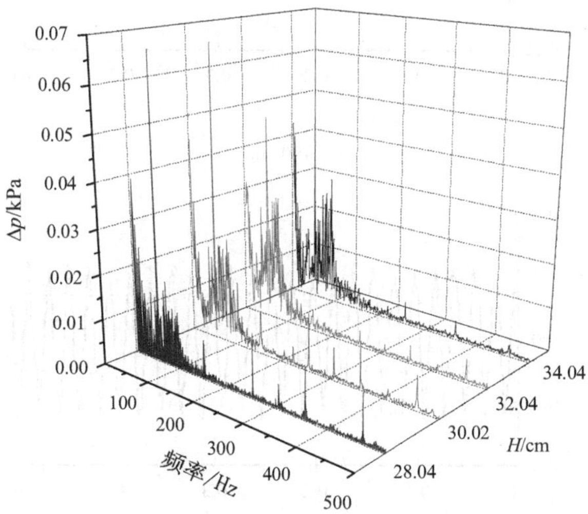

（c）上游水深对 5 号测压点频域影响图

图 3-15 上游水深对 5 号测压点压力脉动影响时域图和频域图

（3）闸顶水深一定，闸下开度对闸筒压力脉动影响

为了研究闸下开度对圆筒表面各点压力脉动的影响，试验对闸顶水深一定，闸下不同开度时各测压点的压力脉动进行了实测，下面以闸顶水深为 $h1$=5.0 cm，闸下开度 h 分别以 0 cm、2 cm、5 cm 为例对各测压点的压力脉动进行分析。

①1 号测压点压力脉动分析。

图 3-16 为闸顶水深为 5.0 cm，闸下开度对圆筒闸顶最上方 1 号测压点的压力脉动影响时域图和频域图。由时域图 3-16（a）、（b）、（c）可知，压力脉动均随时

间变化周期性明显，最大压力脉动幅值随着闸下开度的加大逐渐增大，且增幅较大。当 h=0 cm 时，1 号点的最大压力脉动幅值为 0.089 kPa，当 h=5 cm 时，最大压力脉动幅值为 0.239 kPa，增加了 167%。由此可知，闸下开度对 1 号测压点压力脉动的影响远远大于筒顶水深对其的影响。

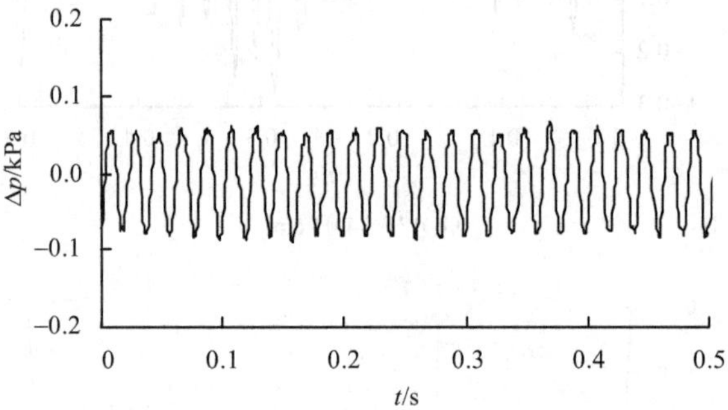

（a）h=0 cm

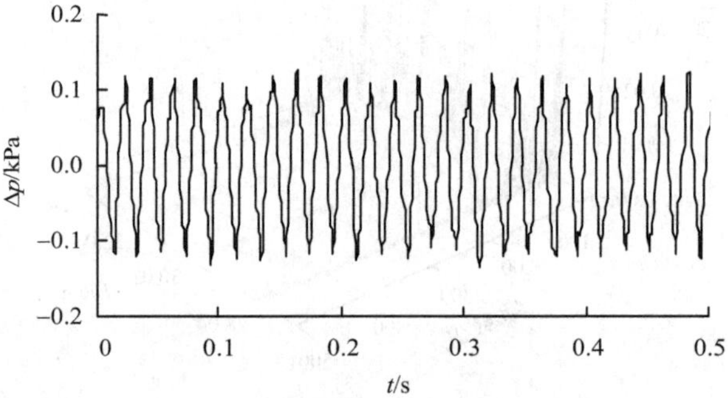

（b）h=2 cm

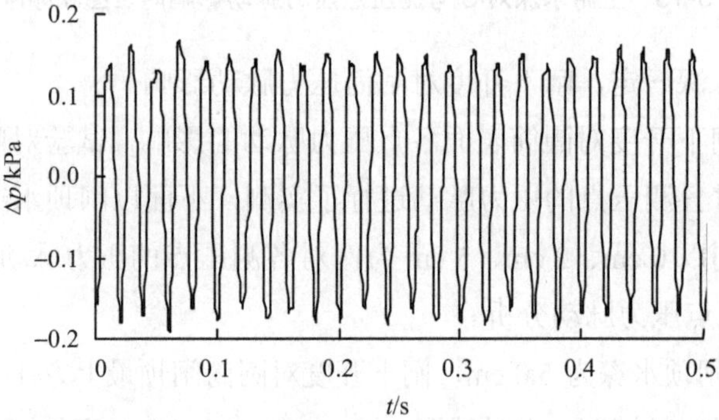

（c）h=5 cm

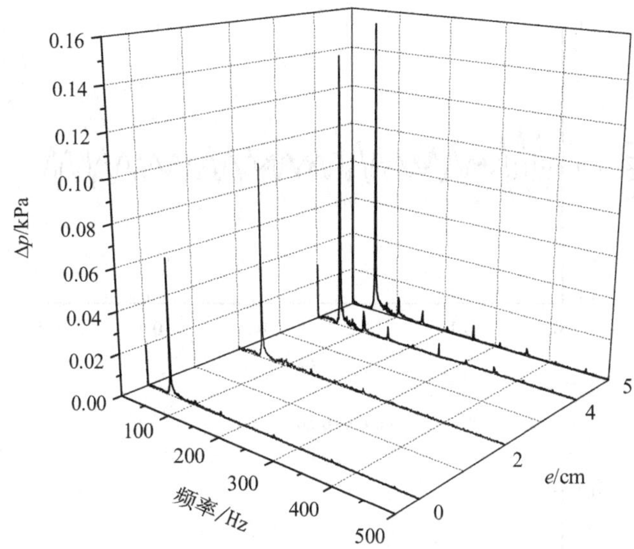

（d）闸下开度对 1 号测压点压力脉动频域影响图

图 3-16　闸下开度对 1 号测压点脉动影响时域图和频域图

由图 3-16（d）可以看出，闸下开度对 1 号点压力脉动影响较大，虽然不同开度下压力脉动主频均为 f=50 Hz，但主频幅值与开度呈正相关，随着闸下开度的加大逐渐增大，当 h=0 cm 时，主频幅值为 0.064 kPa，当 h=5 cm 时，主频幅值为 0.153 kPa，增加了约 139%。

②2 号测压点压力脉动分析。

图 3-17 为筒顶水深 5.0 cm，闸下开度 h 分别为 0 cm、2 cm 和 5 cm 时 2 号测压点的压力脉动时域图和频域图。由时域图 3-17（a）、（b）、（c）可知，压力脉动变化频率较大，没有明显的周期性，最大压力脉动幅值与闸下开度呈正相关，随着闸下开度的增加而增大。当 h=0 cm 时，2 号测压点的最大压力脉动幅值为 0.028 kPa，当 h=5 cm 时，最大压力脉动幅值为 0.043 kPa，增加了约 54%。

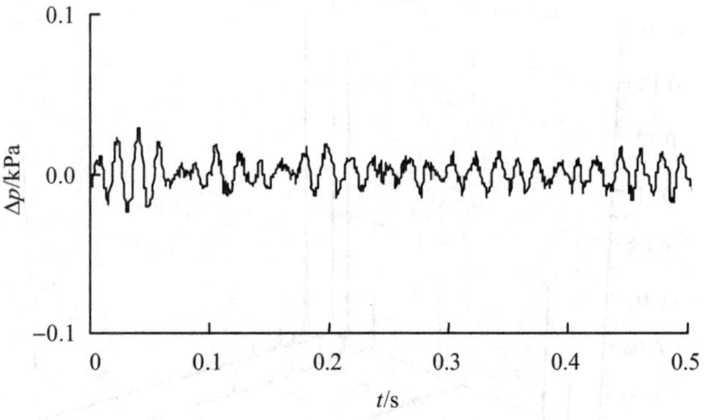

（a）h=0 cm

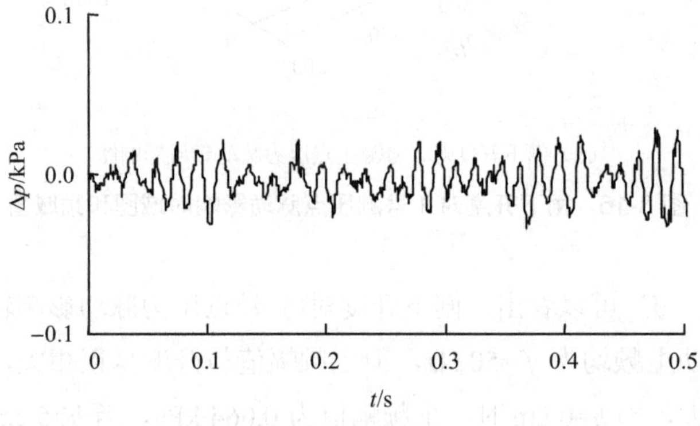

（b）h=2.0 cm

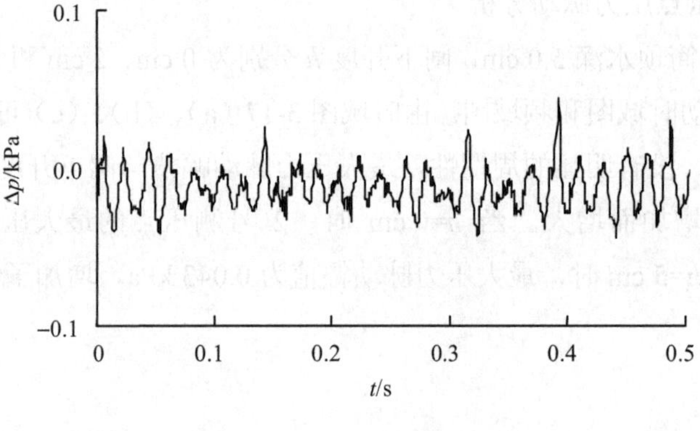

（c）h=5.0 cm

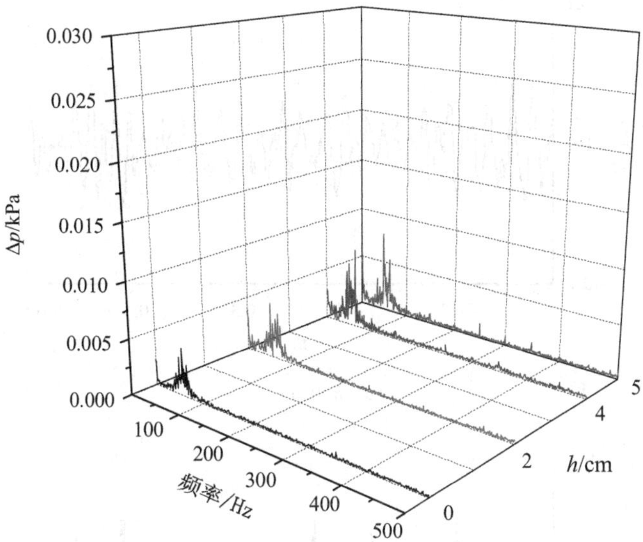

（d）闸下开度对 2 号测压点压力脉动影响频域特性图

图 3-17　闸下开度对 2 号测压点脉动影响时域图和频域图

由频域图 3-17（d）可以看出，闸下开度对 2 号点压力脉动影响较明显，不同开度下 2 号压力脉动主频为 f=50 Hz，主频幅值与闸下开度呈正相关，随着闸下开度的增加而逐渐增大，h=2.0 cm、4.0 cm、5.0 cm 工况下的压力脉动最大幅值比 h=0 cm 工况下分别增加了 56%、87%和 140%。

③3 号测压点压力脉动分析。

图 3-18 为闸顶水深 5.0 cm，闸下开度 h 分别为 0 cm、2 cm 和 5 cm 时，3 号测压点的压力脉动时域图和频域图。由时域图 3-18（a）、（b）、（c）可知，压力脉动变化频率较高，变化周期不显著，最大压力脉动幅值随着闸下开度的增加有增大的趋势。当 h=0 cm 时，3 号测压点的最大压力脉动幅值为时均压力值的 3.0%，当 h=2 cm 时，最大压力脉动幅值为时均压力值的 5.0%，当 h=5 cm 时，最大压力脉动幅值为时均压力值的 7.0%。

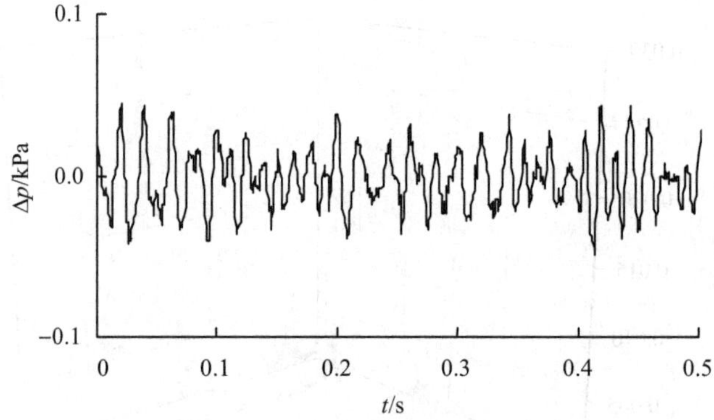

（a）h=0 cm

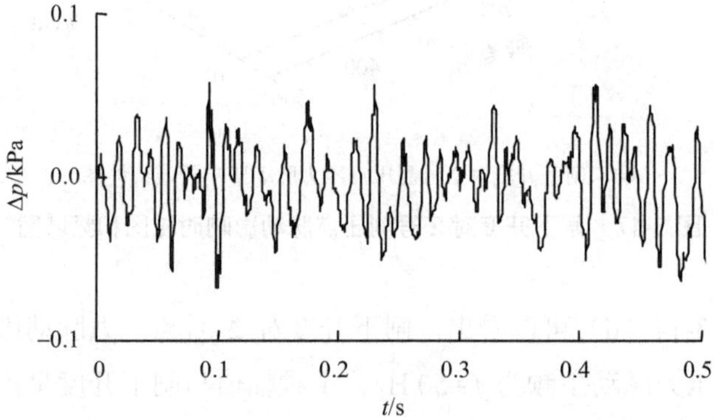

（b）h=2.0 cm

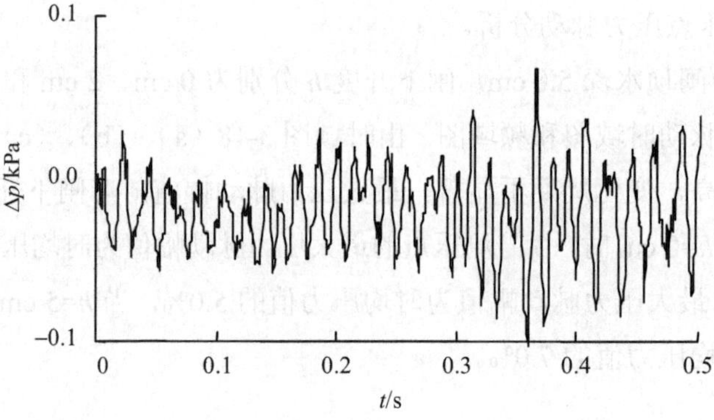

（c）h=5.0 cm

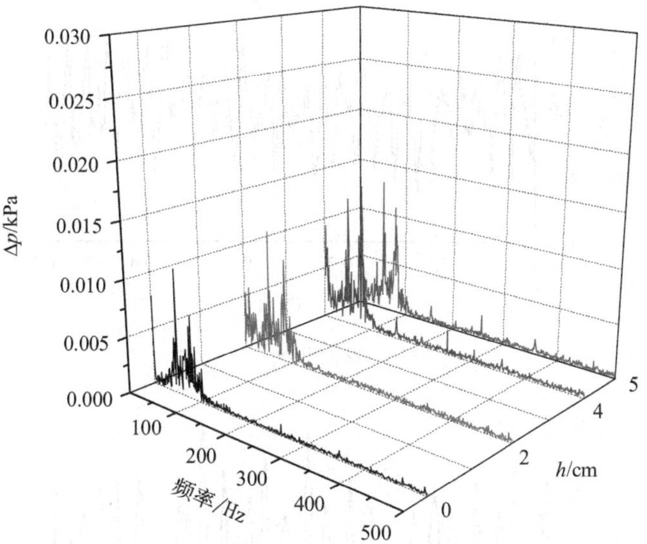

（d）闸下开度对 3 号测压点压力脉动影响频域特性图

图 3-18　闸下开度对 3 号测压点脉动影响时域图和频域图

由频域图 3-18（d）可以看出，闸下不同开度对 3 号点压力脉动主频影响较小，闸下开度 h 分别为 0 cm、2 cm、4 cm 和 5 cm 时，压力脉动主频均为 f=50 Hz 左右，且主频幅值随着闸下开度的加大逐渐增大，h=2 cm、4 cm、5 cm 工况下的压力脉动最大幅值比 h=0 cm 工况下分别增加了 7.0%、15.0%和 20.0%。

④4 号测压点压力脉动分析。

图 3-19 为闸顶水深 $h1$ 为 5.0 cm，闸下开度 h=0 cm、2 cm 和 5 cm 时 4 号测压点的压力脉动时域图和频域图。

由时域图 3-19（a）、（b）、（c）可知，闸下开度对该点压力脉动影响不显著，压力脉动变化频率较高，且没有明显的周期性，最大压力脉动幅值随着闸下开度的增加有增大的趋势。当 h=0 cm 时，4 号测压点的最大压力脉动幅值为时均压力值的 8.0%，当 h=2 cm 时，最大压力脉动幅值为时均压力值的 10.0%，当 h=5 cm 时，最大压力脉动幅值为时均压力的 20.0%。

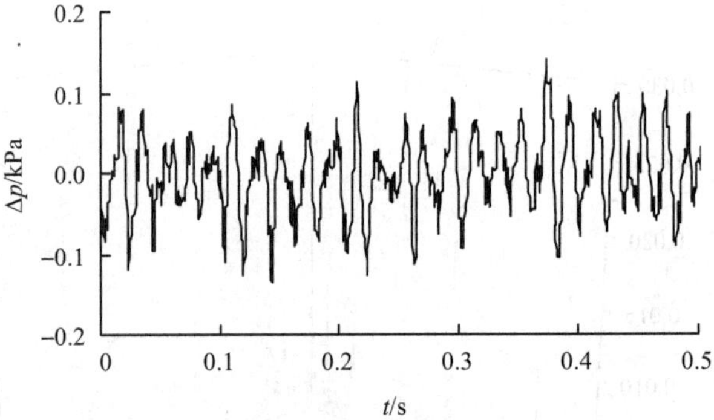

（a）h=0 cm

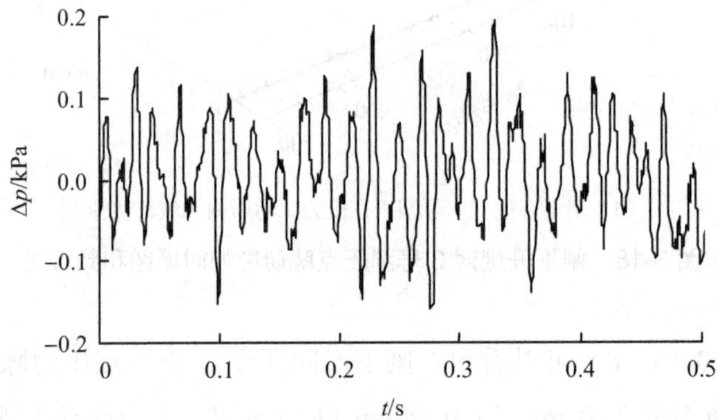

（b）h=2 cm

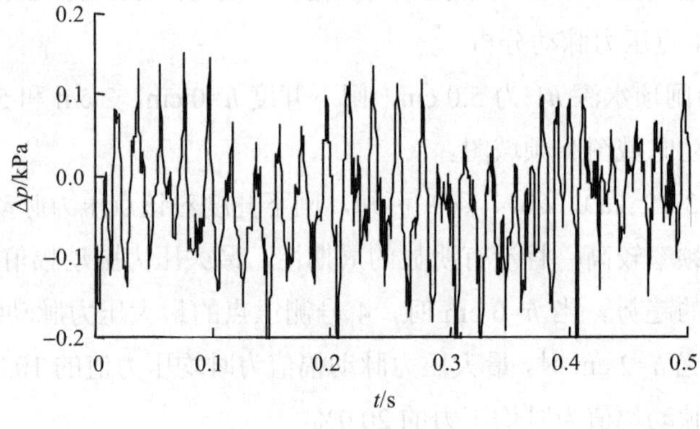

（c）h=5 cm

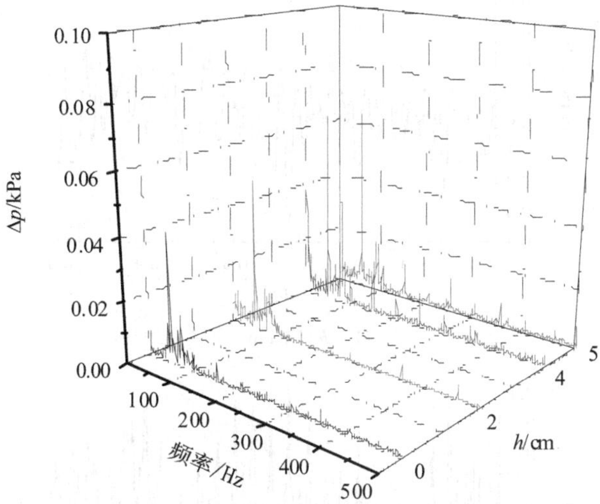

（d）闸下开度对 4 号测压点压力脉动影响频域特性图

图 3-19　闸下开度对 4 号测压点脉动影响时域图和频域图

由频域图 3-19（d）可以看出，闸下开度对 4 号点压力脉动影响较小，不同开度下压力脉动主频为 f=50 Hz 左右。主频幅值随着闸下开度的增加逐渐增大，h=2 cm、4 cm、5 cm 工况下的压力脉动最大幅值比 h=0 cm 工况下分别增加了 21.0%、53.0%和 57.0%。

⑤5 号测压点压力脉动分析。

图 3-20 为闸顶水深 $h1$=5.0 cm，闸下开度 h=0 cm、2 cm 和 5 cm 时圆筒闸体最下方 5 号测压点的压力脉动时域图和频域图。

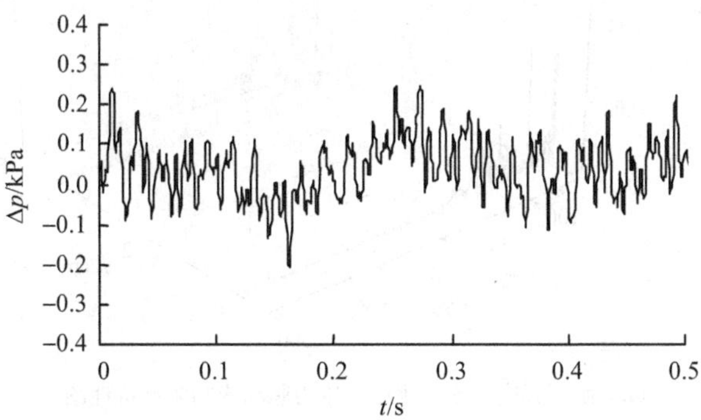

（a）h=0.0 cm

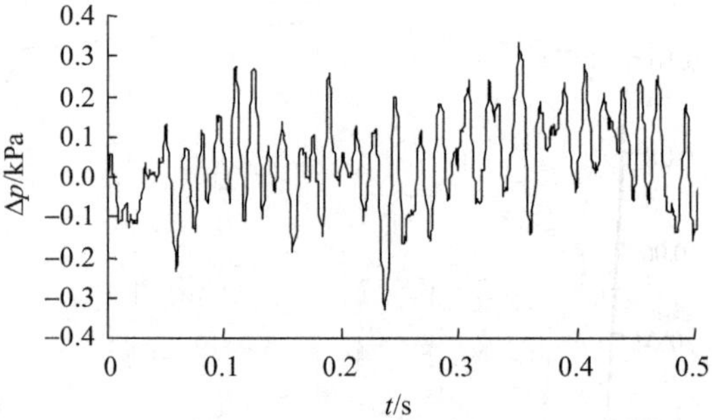

（b）h=2.0 cm

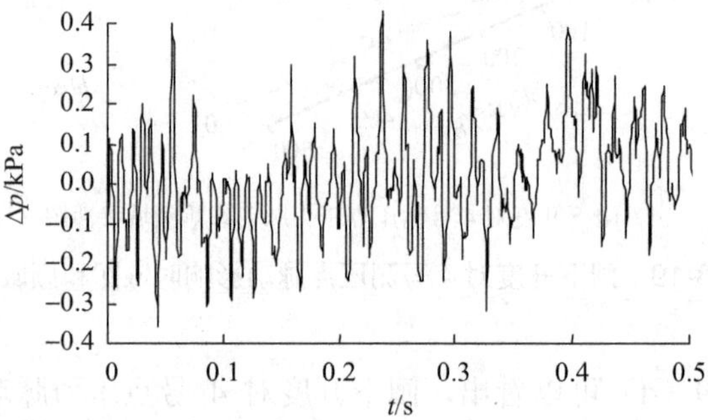

（c）h=5.0 cm

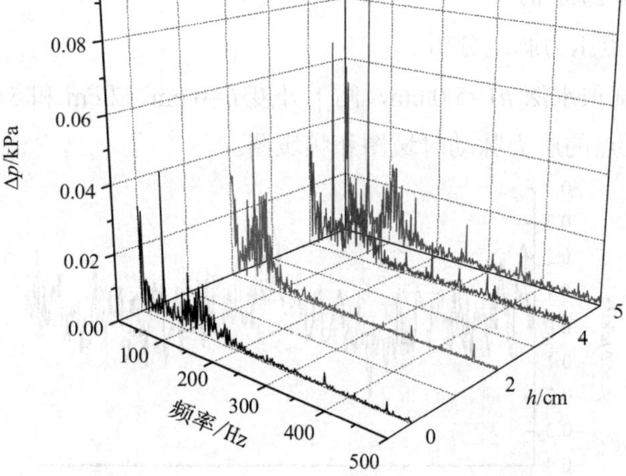

（d）闸下开度对 5 号测压点压力脉动影响频域特性图

图 3-20　闸下开度对 5 号测压点脉动影响时域图和频域图

由时域图 3-20（a）、（b）、（c）可知，压力脉动变化频率较高，周期性不明显，压力脉动随着闸下开度的增加变化幅度逐渐增大，最大压力脉动幅值随着闸下开度的增加而增大。当 h=0 cm 时，5 号测压点最大压力脉动幅值为时均压力值的 96.0%，当 h=2 cm 时，最大压力脉动幅值为时均压力值的 114.0%，当 h=5 cm 时，最大压力脉动幅值为时均压力值的 147.0%。

由频域图 3-20（d）可以看出，闸下开度对 5 号测压点压力脉动影响较大，不同开度时其压力脉动主频为 f=50 Hz 左右，脉动主频幅值与闸下开度呈正相关，随着闸下开度的增加而增大，h=2 cm、4 cm、5 cm 工况下的压力脉动主频幅值比 h=0 cm 工况下分别增加了 8.0%、57.0%和 92.0%。圆筒闸体下方水流速度较大，湍流运动不规则，该点处低于 100 Hz 的低频幅值也随闸下开度的增加而逐渐增大。

3.5.2.2　上游水深在闸顶以下中心线以上时，圆筒闸体表面脉动压力分析

当上游来水量较小时，水流仅由闸下泄流，为了对该过流情况，圆筒闸体表面各点压力脉动进行研究，书中分别从以下三种情况对其进行分析。

（1）圆筒闸体不同位置压力脉动分析

书中对闸下开度 h=2 cm，上游水深 H=24.09 cm 工况，圆筒闸体表面各点的脉动压力进行分析。当闸下开度 h=2 cm，上游水深 H=24.09 cm 时，1 号测压点在水面以上，因此，时域图 3-21（a）、（b）、（c）为 2 号、3 号和 5 号测压点的压力脉动时域特性图。

由图 3-21 可以看出，2 号测压点压力脉动幅值最小，其最大压力脉动幅值为时均压力值的 6.0%左右，3 号测压点处的压力脉动幅值次之，5 号测压点处的压力脉动幅值最大，其最大压力脉动变化幅值为时均压力值的 41.0%。可能是 5 号测压点水流速度较大，水流呈紊流状态，导致该测压点压力脉动变化幅度较大，其结论与上游水面线在闸顶以上时，圆筒闸体表面各点压力脉动的变化规律一致。

由时域图 3-21（d）可以看出，圆筒闸体不同位置的压力脉动有较大差异，但各测压点压力脉动主频为 f=50 Hz 左右，水面以下的 4 个测压点中，离水面最近的 2 号测压点的主频幅值最小，为 0.007 81 kPa，其次为 3 号、4 号，5 号测压点的主频幅值最大，为 0.071 5 kPa。并且沿圆筒壁面向下，2 号、3 号、4 号、5 号测压点在低于 100 Hz 的低频压力脉动幅值逐渐增大。这与上游水面线在筒顶以

上时，圆筒闸体表面各点压力脉动变化规律相似。

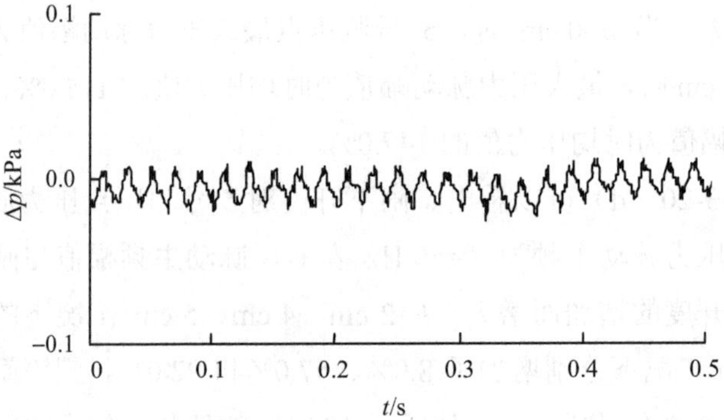

（a）2 号测压点

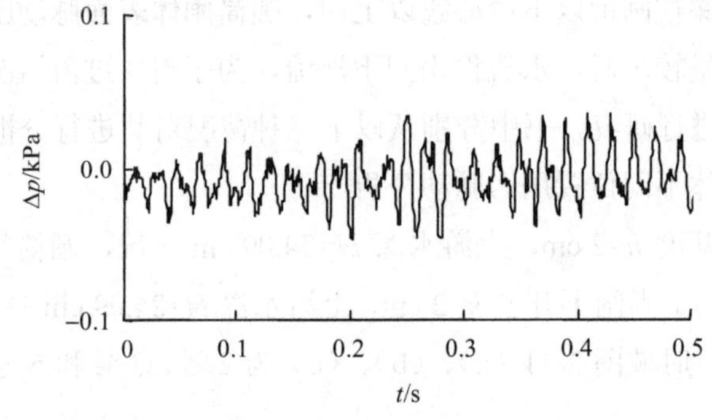

（b）3 号测压点

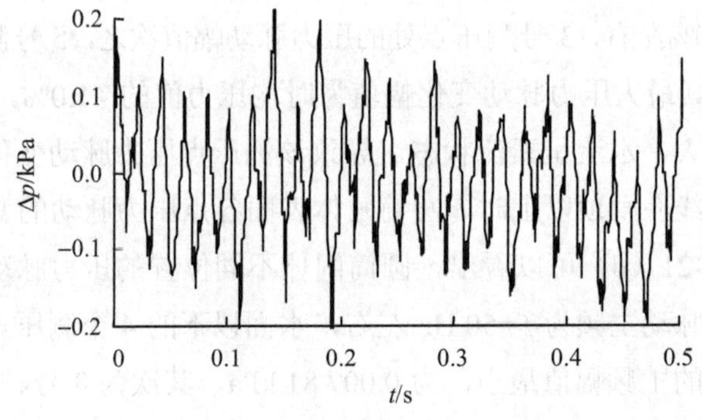

（c）5 号测压点

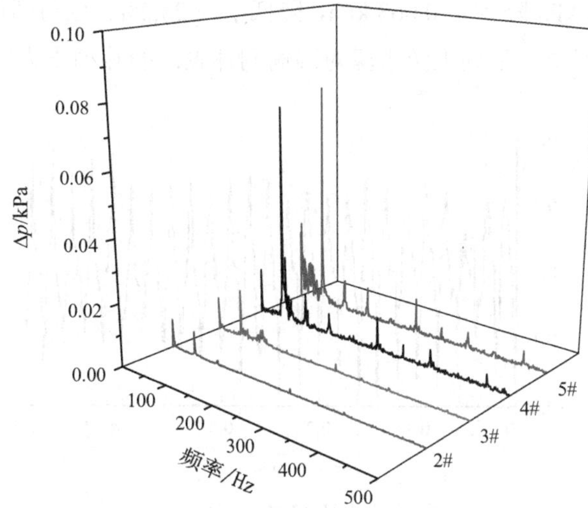

（d）滚筒闸门不同位置压力脉动频域图

图 3-21　滚筒闸门不同位置压力脉动时域图和频域图

（2）上游水深对圆筒闸体压力脉动影响

在试验对该过流情况下，不同上游水深时各测压点的压力脉动进行了量测，闸下开度 h=2 cm，上游水深 H 分别为 17.56 cm、21.67 cm、25.93 cm 时对 4 号测压点的压力脉动影响进行分析。

图 3-22 为上游水深对 4 号测压点压力脉动影响的时域图和频域图。由其时域图可知，各工况 4 号点压力脉动变化频率较高，压力变化趋势所呈现波的形状较一致。最大压力脉动幅值随着上游水深的升高有逐渐增大的趋势，增加幅值较小，但最大压力脉动幅值相对于时均压力有所减小。当上游水深 H=17.56 cm 时，4 号点的最大压力脉动幅值为 0.21 kPa，为时均压力值的 38.0%左右，当 H=25.93 cm 时，最大压力脉动幅值为 0.22 kPa，为时均压力值的 18.0%左右。由此可知，在闸下开度一定时，随着上游水深的增加，4 号测压点时均压力值的增加幅度大于最大压力脉动幅值增加幅度。

由频域图 3-22（d）可以看出，上游水深对 4 号点压力脉动有影响较大，不同上游水深 4 号点压力脉动主频为 f=50 Hz，主频幅值与上游水深呈负相关，随着上游水深的增加主频幅值逐渐减小，上游水深 H 从 17.56 cm 增加到 25.93 cm，主频幅值由 0.082 kPa 降到了 0.063 kPa，降低了约 23.2%。这与圆筒闸体上、下均过水，闸下开度一定，不同上游水深对圆筒闸体表面的脉动压力影响规律一致。

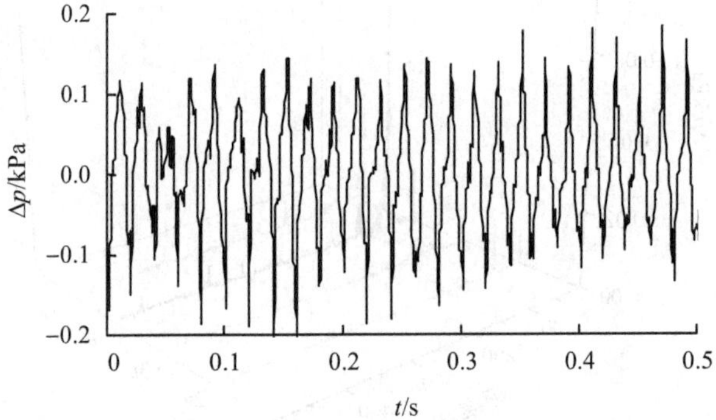

（a）H=17.56 cm

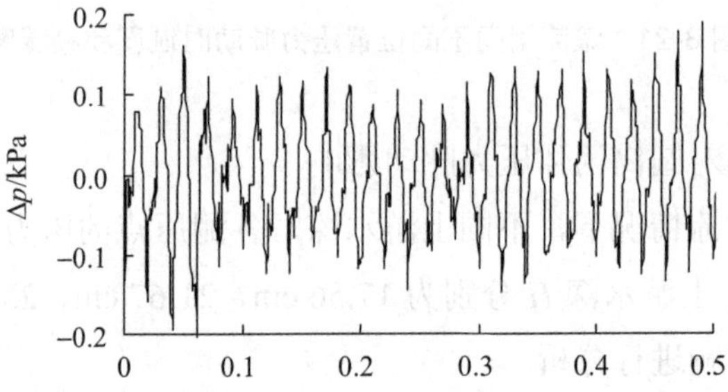

（b）H=21.67 cm

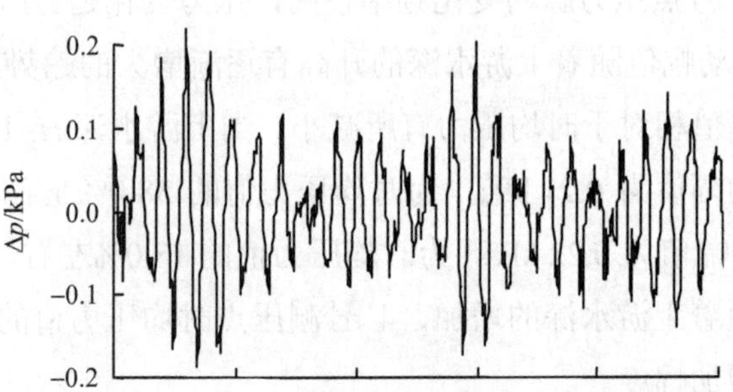

（c）H=25.93 cm

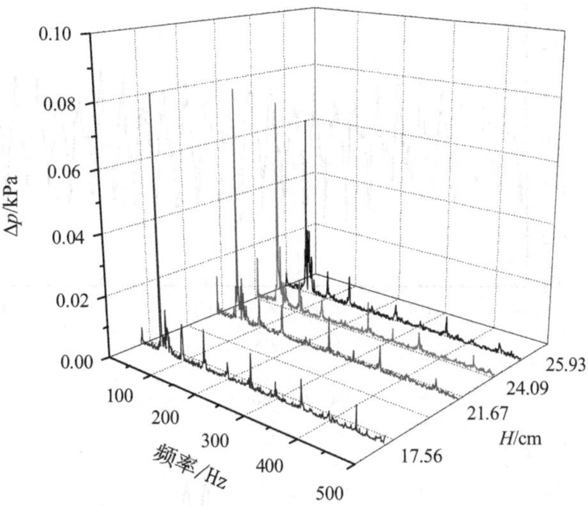

（d）上游水深对 4 号测压点频域影响图

图 3-22　上游水深对 4 号测压点在压力脉动影响时域图和频域图

（3）闸下开度对闸体压力脉动影响

试验对筒顶水深一定，不同闸下开度时各测压点的压力脉动进行了监测，当上游水深 H 约为 26 cm，闸下开度 h 分别为 1 cm、3 cm、5 cm 时对 4 号测压点的压力脉动进行分析。

图 3-23 为上游水深 H 约为 26 cm，闸下开度对 4 号测压点压力脉动影响时域图和频域图。由其时域图 3-23（a）、（b）、（c）可知，各工况压力脉动变化频率较高，没有明显的周期性，最大压力脉动幅值随着闸下开度的加大有逐渐增大的趋势。当 h=1 cm 时，4 号测压点的最大压力脉动幅值为 0.195 kPa，是时均压力值的 19.0%，当 h=5 cm 时，最大压力脉动幅值为 0.231 kPa，是时均压力的 31.0%。

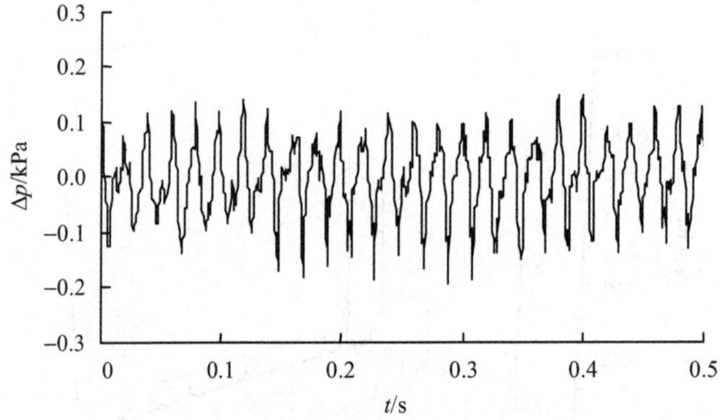

（a）h=1 cm

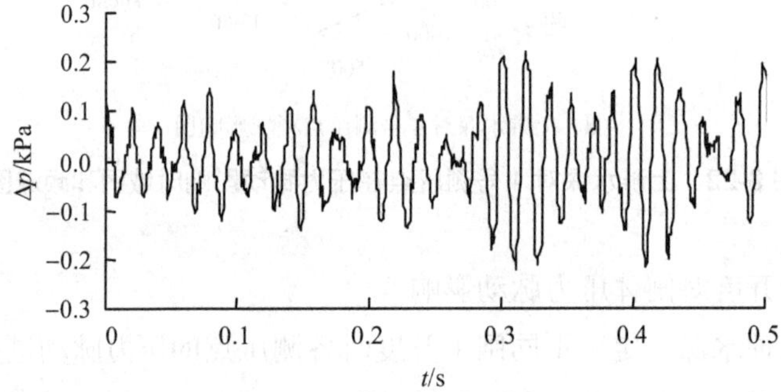

（b）h=3 cm

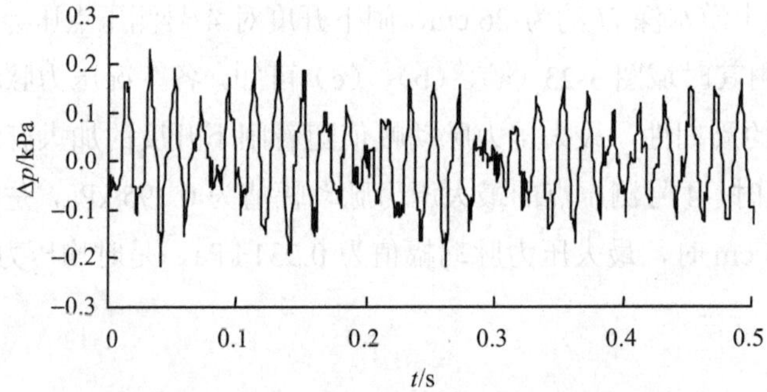

（c）h=5 cm

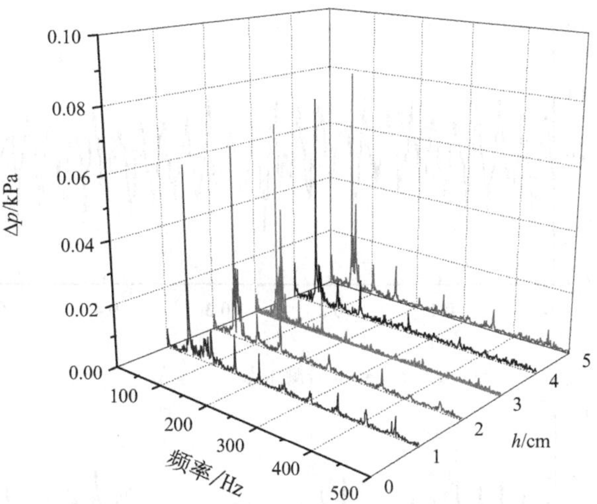

（d）闸下开度对 4 号测压点频域影响图

图 3-23　闸下开度对 4 号测压点的压力脉动影响时域图和频域图

由频域图 3-23（d）可以看出，闸下开度对 4 号点压力脉动影响较显著，不同闸下开度时 4 号点压力脉动主频为 f=50 Hz 左右，且主频最大幅值随着闸下开度的加大逐渐增大。当 h=1 cm 时，主频幅值为 0.061 kPa，当 h=5 cm 时，主频幅值为 0.079 kPa。

3.5.2.3　上游水面线在圆筒中心线以下时，圆筒表面的压力脉动分析

当上游水面线在圆筒中心线以下时，圆筒表面各点动水压力及其压力脉动变化情况与弧形闸门相似，为了与弧形闸门进行验证，书中分别从以下三种情况对圆筒表面各点压力脉动进行分析。

（1）圆筒闸体不同位置的压力脉动分析

为了研究圆筒闸体不同测压点的压力脉动变化，以闸下开度 h=2 cm，上游水深 H=14.97 cm 为例，对圆筒表面水面以下 4 号和 5 号的压力脉动进行分析。

图 3-24（a）、（b）为闸下开度 h=2 cm，上游水深 H=14.97 cm 时，测压点 4 号和 5 号点的压力脉动时域图。由该图可知，各测压点的压力脉动变化频率较高，4 号测压点的最大压力脉动幅值为 0.115 kPa，是时均压力值的 27.0%；5 号测压点的最大压力脉动幅值为 0.125 kPa，是时均压力值的 255.0%。该结论与上游水深在闸顶以上和闸顶以下中心线以上时，圆筒闸体表面各点压力脉动的变化规律一致，且与其他学者的研究结论相吻合[150]。

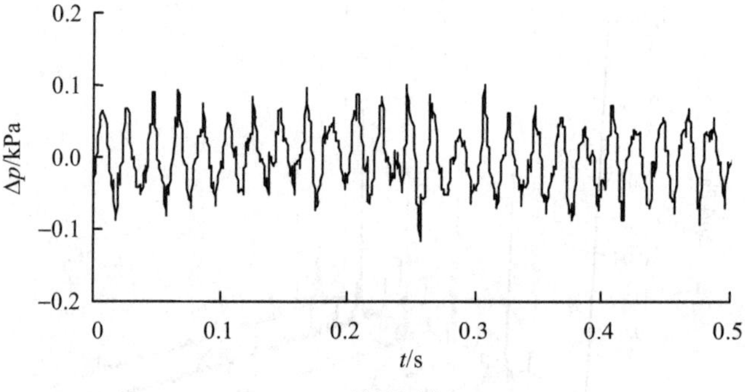

（a）4 号测压点

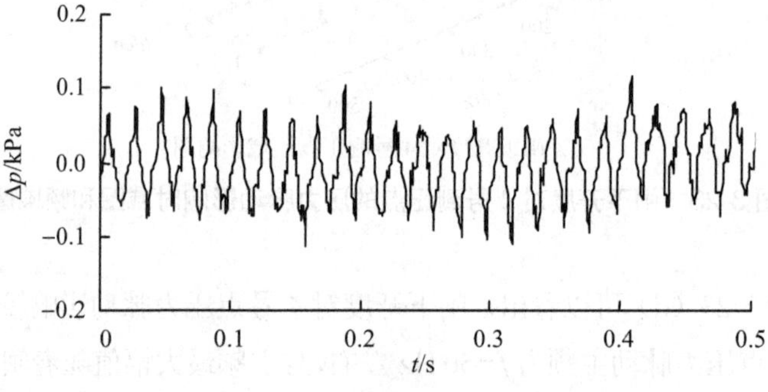

（b）5 号测压点

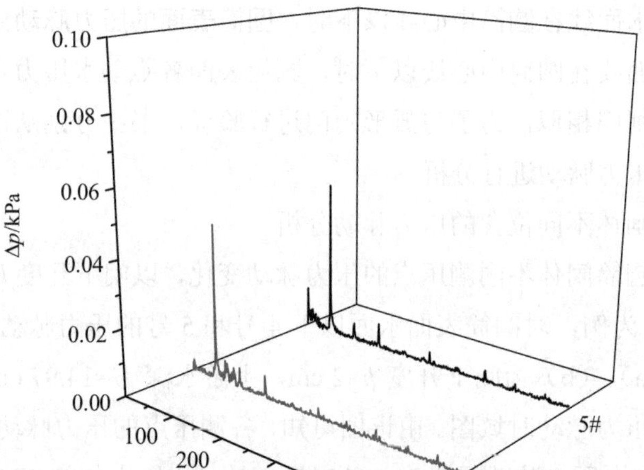

（c）滚筒闸门不同测压点压力脉动频域图

图 3-24　滚筒闸门不同测压点压力脉动时域图和频域图

由图 3-24（c）可以看出，当上游水面线在中心线以下，仅闸下过水时，水面以下各测压点的压力脉动主频仍为 f=50 Hz，4 号点的压力脉动主频幅值为 0.046 kPa，5 号点的压力脉动主频幅值为 0.048 kPa。与上游水面线在闸顶以上和筒顶以下、中心线以上时，圆筒闸体表面各点的压力脉动变化的规律一致。

（2）闸下开度一定，上游水深对闸体压力脉动影响

试验对上游水面线在中心线以下，闸下开度一定，上游不同水深时测压点的压力脉动进行了监测，闸下开度 h=2 cm，上游水深分别为 H=13.99 cm、16.98 cm 时对 4 号测压点的压力脉动影响进行分析。

图 3-25 为上游水深对 4 号测压点压力脉动影响的时域图和频域图。由其时域图可知，各工况 4 号点压力脉动变化频率较高，压力变化趋势所呈现波形状较一致。最大压力脉动幅值随着上游水深的升高有逐渐增大的趋势，但增加幅值很小，最大压力脉动幅值相对于时均压力有所减小。当上游水深 H=13.99 cm 时，4 号点的最大压力脉动幅值为 0.11 kPa，为时均压力值的 30.0% 左右，当 H=16.98 cm 时，最大压力脉动幅值为 0.13 kPa，为时均压力值的 22.0%左右。

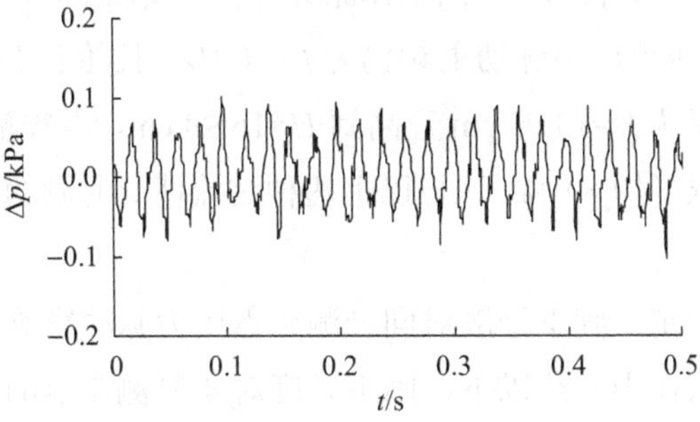

（a）H=13.99 cm

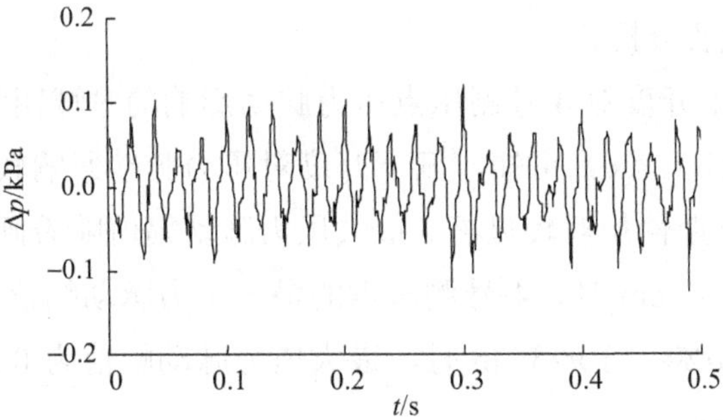

（b）H=16.98 cm

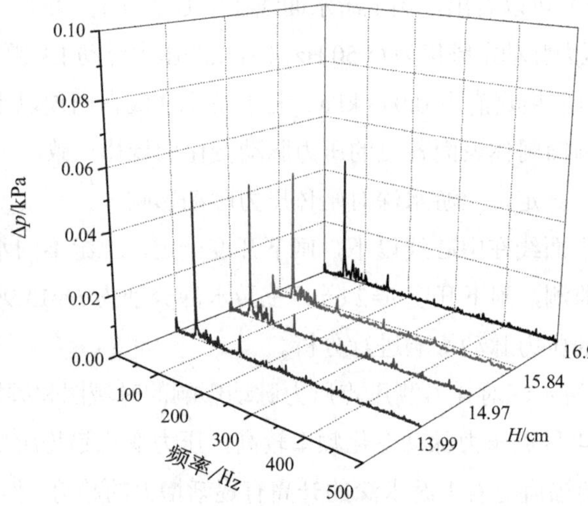

（c）上游水深对 4 号测压点影响频域图

图 3-25 上游水深对 4 号测压点压力脉动影响的时域图和频域图

由图 3-25（c）可以看出，当上游水面线在中心线以下，闸下开度一定，上游不同水深时，4 号测压点压力脉动主频仍为 f=50 Hz，且随着上游水深的升高主频幅值逐渐降低，水深从 H=13.99 cm 升高到 H=16.98 cm，主频幅值由 0.049 kPa 降到了 0.045 kPa，降低了约 8.0%。这与以上两种过流情况时圆筒闸体表面的脉动压力变化规律一致。

（3）上游水深一定，闸下开度对同一测压点压力脉动影响

试验对上游水深在中心线以下，闸下开度对 4 号测压点的压力脉动影响进行了实测，上游水深 H 约为 15 cm，闸下开度 h 为 1 cm、3 cm、5 cm 对 4 号测压点的压力脉动影响进行分析。

图 3-26 为闸下开度对 4 号测压点压力脉动影响的时域图和频域图。由其时域图 3-26（a）、（b）、（c）可知，闸下开度对压力脉动影响较小，但压力脉动变化频率较高，周期性相对较显著。最大压力脉动幅值随着闸下开度的加大有增大的趋势。当 h=1 cm 时，4 号测压点的最大压力脉动幅值为 0.107 kPa，是时均压力值的 19.0%，当 h=5 cm 时，最大压力脉动幅值为 0.231 kPa，是时均压力值的 96.0%。

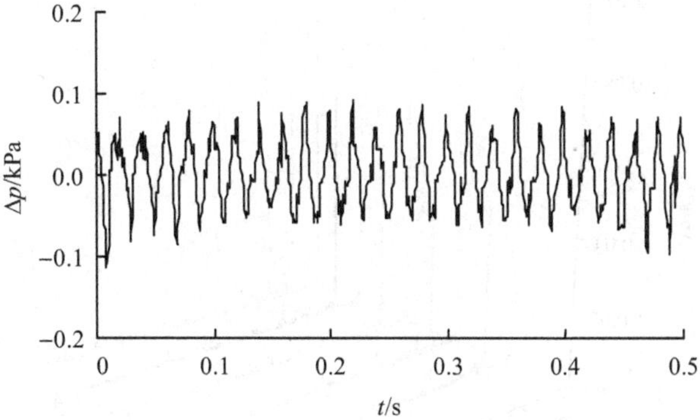

（a）h=1 cm

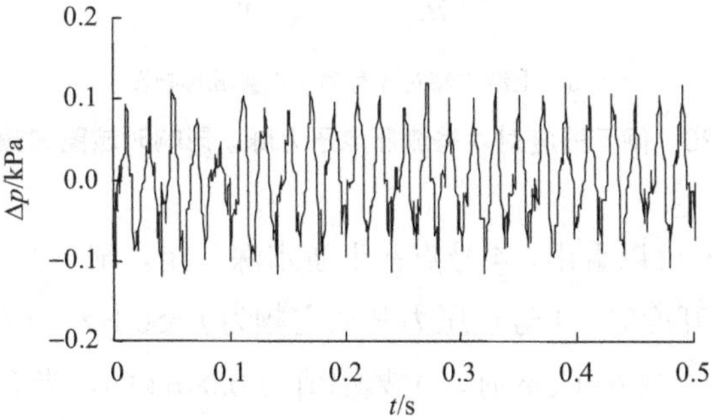

（b）h=3 cm

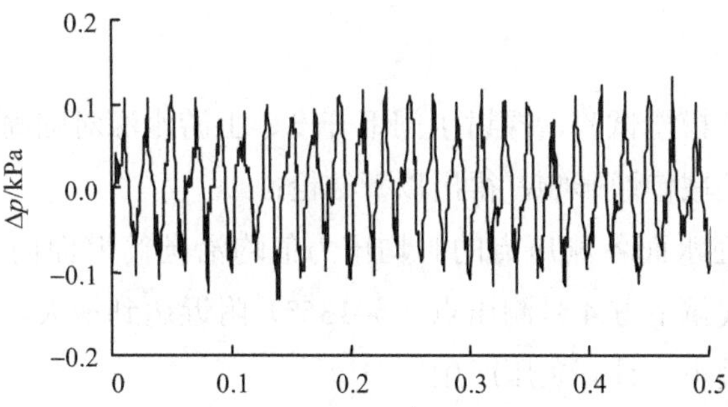

（c）h=5 cm

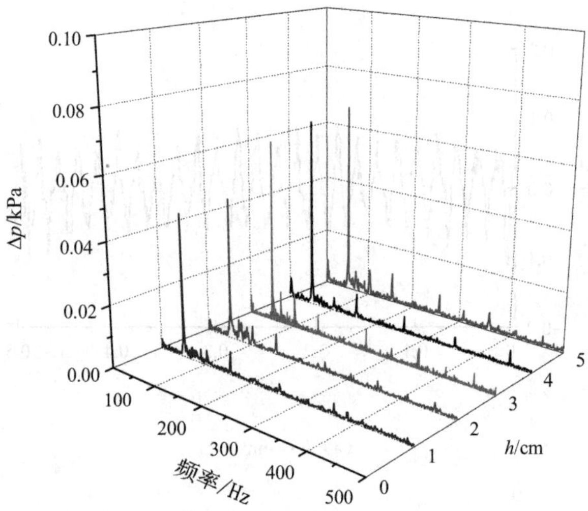

（d）上游水深对 4 号测压点频域影响图

图 3-26　闸下开度对 4 号测压点压力脉动影响时域图和频域图

由图 3-26（d）可以看出，4 号点在上游水深一定，闸下开度对压力脉动有一定影响，不同闸下开度时，4 号点压力脉动主频为 f=50 Hz，主频幅值随着闸下开度的加大逐渐增大。当 h=1 cm 时，主频幅值为 0.046 kPa，当 h=5 cm 时，主频幅值为 0.066 kPa，闸下开度由 h=1 cm 增加到 h=5 cm，主频幅值增加了约 43.0%。

3.5.3　本章小结

本章通过物理模型试验，探讨了闸下开度、上游水深对圆筒闸体压力脉动时均值和脉动值及频域特性影响，得出以下结论：

①圆筒闸体迎水面各测压点的时均压力值均沿圆筒壁面向下呈先增大后减小趋势，在中心线偏下方 4 号测压点（ϕ=135°）附近达到最大，而圆筒闸体最下方 5 号测压点处最小，且有负压产生。

②同一开度下，当上游水深在闸顶以上、闸顶以下中心线以上以及中心线以下时，圆筒闸体表面水面以下各测压点的时均压力值与上游水深呈正相关，随着上游水深的升高而逐渐增大，圆筒闸体表面的最小压力点出现在圆筒最下方的 5 号点处。

③在上游水深一定，闸下开度对圆筒闸体表面中心线以上各测压点（1 号、2 号、3 号）的时均压力影响较小，圆筒闸体中心线以下各测压点（4 号、5 号）的动水压力时均值与闸下开度呈负相关，随着闸下开度加大而逐渐减小。

④圆筒闸体周围流场随时间变化较大，呈现出强烈的非定常特性，在圆筒闸体表面有脉动产生。压力脉动强度最大值为圆筒闸体最下方的 5 号测压点，压力脉动强度最小值为圆筒闸体中心线偏上方的 2 号测压点。圆筒闸体最上方的 1 号测压点处压力脉动周期性特征明显，压力脉动值较稳定。不同工况下各测压点的压力脉动主频稳定，均为 f=50 Hz。上游水面线在闸顶以上时，圆筒闸体最上方的 1 号测压点处主频幅值最大，最大值为 0.087 kPa，2 号测压点的主频幅值最小，最小值为 0.006 kPa，3 号、4 号、5 号测压点的主频幅值逐渐增大。中心线以下各测压点（4 号和 5 号）在 f＜100 Hz 的低频幅值大于其他各测压点的低频幅值。上游水位在闸顶以下时，水面以下各测压点主频幅值沿壁面向下呈逐渐增大趋势。

⑤闸下开度一定，不同上游水深时，圆筒表面水面以下各测压点的最大压力脉动幅值随着上游水深的增加逐渐增大，但增加幅度较小；而主频幅值随着上游水深的增加逐渐减小。

⑥闸顶水深一定，闸下开度对闸体压力脉动幅值及主频幅值影响较大，圆筒表面水面以下各测压点的最大压力脉动幅值和主频幅值均与闸下开度呈正相关。

以上结论为更深层次分析自动滚筒闸门表面的水力学特性及其闸门的稳定性提供了科学依据。

第4章　浊水资源取水建筑物的闸门流场数值模拟

4.1 概述

随着计算机技术和计算方法的发展，借助计算机采用离散的数值计算方法得到的数值解可满足许多工程问题的需求，数值模拟技术是促进现代工程学形成和发展的重要因素之一。虽然试验的研究方法不能完全被计算流体力学分析所取代，但是随着计算机技术及计算方法的发展，在某些方面已经能够达到或接近试验研究的结果[88]。本章采用计算流体动力学软件 FLUENT 对三维和二维横置圆筒闸体绕流流场进行数值模拟计算，将模拟计算结果与模型试验结果进行比较分析，率定模型维数、网格数量及边界条件，确定计算模式和算法。进而对物理模型条件所限不能完成的试验工况进行模拟计算，以丰富模型试验工况，实现对横置圆筒闸体表面的水力学特性更全面的分析，最后确立水流中横置圆筒闸体表面动水压力的计算模式，为水力自动滚筒闸门的设计研究奠定基础。

4.2 研究对象

本书的研究对象主要是水流中的横置圆筒闸体，其结构形式见图 3-1，通过调节圆筒闸下开度和上游水深以及圆筒闸体直径，对多个运行工况下绕流流场及其圆筒闸体表面的水力学特性进行研究。

4.3 横置圆筒绕流流场数值计算模型

4.3.1 控制方程和湍流模型

横置圆筒闸体的绕流流场为不可压黏性湍流，其控制方程可以由连续方程和动量方程表示。

目前，以黏涡模型中的双方程模型在工程中应用最为广泛[151-153]，双方程模型中最基本的是标准的 k-ε 模型，该方程分别引入了湍动能 k 方程和耗散率 ε 方程。该方法简单、稳定、经济，通过大工程模拟计算表明具有足够的精度。但其缺点是在有回流、大曲率和强旋度等情况下，不能很好地预测湍流特性。为此，人们提出了两种修正的 k-ε 模型：RNG k-ε 模型和 Realizable k-ε 模型。RNG k-ε 模型和 Realizable k-ε 模型具有标准 k-ε 模型简单、经济的优点，同时考虑多因素对标准 k-ε 模型进行了修正[154]。为了比较不同湍流模型在横置圆筒闸体水力学特性模拟中的适用性，在横置圆筒绕流流场的数值模拟计算中分别采用了三种湍流模型对绕流流场进行分析。

以上三种湍流模型均适用于高雷诺数下的流动计算，对于壁面低速流动区需加以处理，本书结合标准壁面函数法、非均衡壁面函数以及增强型壁面处理三种近壁区处理方法，对横置圆筒闸体绕流流场进行了模拟，并将数值模拟所得横置圆筒中央横断面迎水面上的压力分布与模型试验实测结果进行对比。

在横置圆筒闸体绕流流场中，存在自由表面，因此在计算时对自由表面进行跟踪计算，本书采用 Hirt 和 Nichols 提出的 VOF 模型来处理水和气的交界面。计算流场中由水和空气组成，通过计算，最终求出水气交界面，即自由表面的位置。该模型涉及多相流理论，但并没有采用复杂的多流体模型，而是引入简单的单流体模型解决问题。因此，对于水气两相流，假设在同一单元中，水或气体，或者两者的混合体具有相同的速度，但它们的体积分数在整个流场中都作为单独变量。在每个单元中，水和气的体积分数之和为 1。与真正的单流体相比，就多出一项体积分数变量。如果 α_w 表示水的体积分数，则气的体积分数 α_a 可表示为[155]

$$\alpha_a = 1 - \alpha_w \tag{4-1}$$

只要流场中各处水和气的体积分数已知，所有其他水和气共有的未知量和特性参数均可用体积分数的加权平均值来表示。

4.3.2 计算域及网格划分

本书采用 GAMBIT 以物理模型为依据，对横置圆筒闸体分别进行三维和二维建模。为了计算域流场充分发展，在圆筒闸体上游和下游分别取距圆筒中心 3.0 m 和 2.0 m 作为计算区域，水面以上空气部分取 6～8 倍的筒顶水深。其模型计算域如图 4-1 所示。

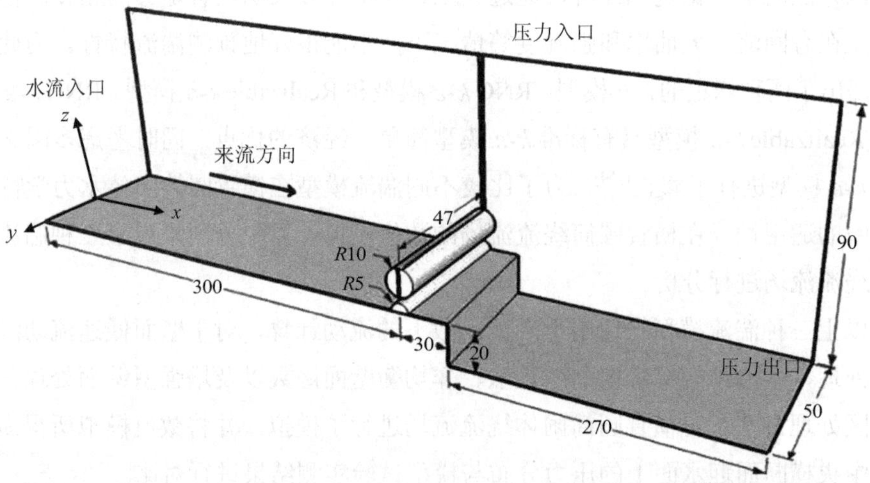

（a）三维模型计算域及边界条件示意图

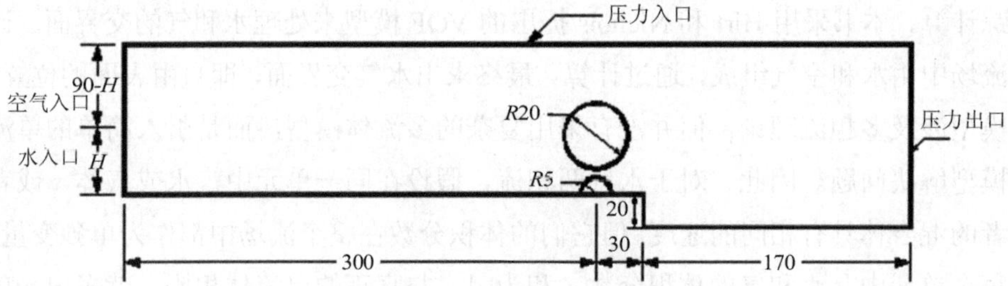

（b）二维模型计算域及边界条件示意图

图 4-1 模型计算域及边界条件（单位：cm）

离散所使用的网格一般有两种类型：一种是节点顺序排列规则的结构化网格；另一种是节点顺序排列相对无序的非结构化网格。在节点数相同的情况下，结构化网格占用的存储空间相对较少，计算速度较快，并且在某种条件下可使用加速算法。而非结构化网格则相反。结构化网格对实体模型的几何拓扑结构要求较为严格，适应性较差，网格划分耗时多，而非结构化网格较为灵活，对实体模型的适应性较强，网格划分相对容易[156, 157]。在计算域中，由于圆筒闸体附近模型结构较复杂，受拓扑结构的限制，使用结构化网格划分较为困难，所以本书在圆筒闸体附近区域采用非结构化网格对计算域进行离散。在圆筒上游和下游水槽部分采用规则四边形网格进行离散。并且，对圆筒壁面一定距离内的网格进行了加密，以使得壁面函数有效[158]。

在三维计算中，由于水槽及圆筒为左右对称结构，故本书取对称体的一半作为计算域，并对其进行网格划分，以期在计算资源不变的条件下，获得更高的计算精度。网格划分结果如图 4-2 和图 4-3 所示。

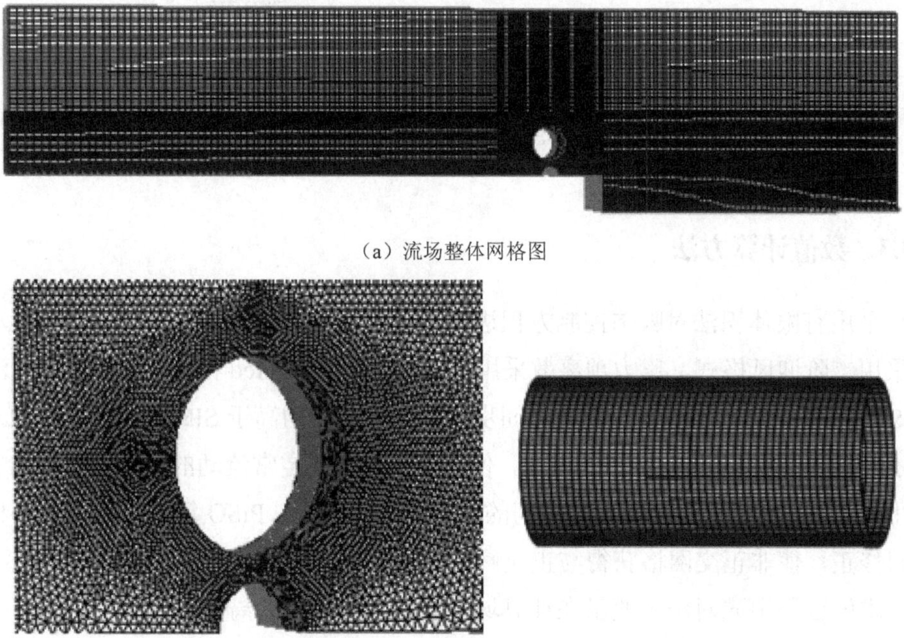

（a）流场整体网格图

（b）圆筒附近网格放大图　　（c）圆筒网格图

图 4-2　三维模型计算网格

（a）计算域整体网格图

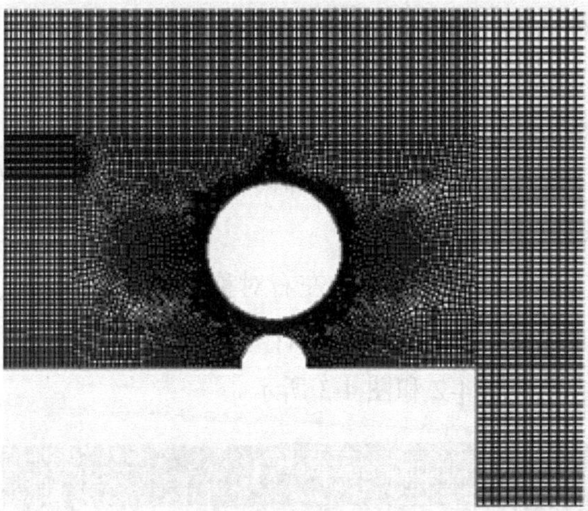

（b）计算域网格局部放大图

图 4-3　二维模型计算网格

4.3.3　数值计算方法

采用有限体积法对瞬态控制方程进行离散，非耦合隐式方程进行求解，对流项采用二阶迎风格式，压力项离散采用 Body Force Weighted 格式[159]，PISO 算法与 SIMPLE 族算法相比，在每一时间步内的计算精度均高于 SIMPLE 和 SIMPLC 算法，减少了收敛所需 CPU 的时间，使其更适合于非定常流动的计算，因此本书采用 PISO 算法实现速度和压力之间的耦合计算。此外，PISO 算法还增加了网格偏斜修正，使非正交网格获得与正交网格一样的精度。

求解过程中先对一个变量在计算域中的每个控制体的离散方程进行求解，得出此变量在整个计算域的值，然后在全场求解另一个变量。由于控制方程本身是非线性的，且相互影响，因此，常通过迭代计算要获得收敛解。流场瞬态迭代计

算的收敛标准为 10^{-3}，每一个方程都达到收敛标准后再进行下一步的迭代计算。计算采用的时间步长为 2.0×10^{-4} s。

4.3.4　边界条件和流场初始条件

计算域边界条件如图 4-1 所示，在圆筒闸体上游方向，距圆筒闸体中心 3.0 m 处的断面设为进口边界，该进口采用速度进口，分为两部分，上半部分为空气进口，设置为压力边界条件；下半部分为水进口，设置为速度边界条件。出口设在圆筒闸体下游距圆筒中心 2.0 m 处，设置为压力出口。由于出口水流为自由出流，与大气相通，故可认为出口压力为大气压值。

所有的气体边界都定义为压力边界，该边界条件适用于边界压力已知，但边界上的通量未知的情况。气体边界处压力都为大气压，但气体流入或流出边界的流量未知，因此，采用压力边界。整个渠道的壁面、底板和闸体表面都为固体边界，设置为无滑移边界条件，即时均速度和脉动速度的各个分量均为 0。

在初始流场中，设整个初始流场中充满空气，水从水入口流入，通过瞬态相关的模拟，水流就会从水入口流入水槽。对于速度场，气体的初始速度都为零，水的初始速度与水入口速度相同。然后通过对体积分数进行迭代求解，生成水气交界面。对于紊流参数，如湍动能 k 和湍动耗散率 ε 的初始值都采用以下公式计算[98]：

$$k=\frac{3}{2}(uI)^2 \tag{4-2}$$

$$\varepsilon=C_\mu^{3/4}\frac{k^{3/2}}{l} \tag{4-3}$$

式中，I 为湍流强度；u 为断面平均速度；l 为湍流长度尺度，一般取 $l=0.07L$，对于充分发展的湍流，可取 L 等于水力筒径；C_μ 取 0.09。

4.3.5　计算工况

为了全面研究水流中横置圆筒闸体的水力学特性，结合模型试验结果对比分析，圆筒半径选取 R=5 cm、10 cm 和 15 cm 建模，对上游水深在闸顶以上，闸下开度 h=0～10 cm，闸顶不同水位以及上游水深在闸顶以下，不同上游水深时的各工况进行数值模拟计算，试验方案见表 4-1～表 4-3。

表 4-1 上游水深在闸顶以上试验方案

圆筒半径/cm	闸下开度/cm	筒顶水深/cm										
		0	1	2	3	4	5	6	7	8	9	10
10	0		√	√	√	√	√	√	√	√	√	√
	1	√	√	√	√	√	√	√	√	√	√	√
	2	√	√	√	√	√	√	√	√	√	√	√
	3	√	√	√	√	√	√	√	√	√	√	√
	4	√	√	√	√	√	√	√	√	√	√	√
	5	√	√	√	√	√	√	√	√	√	√	√
	6	√	√	√	√	√	√	√	√	√	√	√
	7	√	√	√	√	√	√	√	√	√	√	√
	8	√	√	√	√	√	√	√	√	√	√	√
	9	√	√	√	√	√	√	√	√	√	√	√
	10	√	√	√	√	√	√	√	√	√	√	√
5	0		√		√		√		√		√	
	2		√		√		√		√		√	
	4		√		√		√		√		√	
	6		√		√		√		√		√	
	8		√		√		√		√		√	
	10		√		√		√		√		√	
15	0		√		√		√		√		√	
	2		√		√		√		√		√	
	4		√		√		√		√		√	
	6		√		√		√		√		√	
	8		√		√		√		√		√	
	10		√		√		√		√		√	

表 4-2 上游水面线在闸顶以下试验方案（筒径 R=10 cm）

圆筒半径/cm	闸下开度/cm	上游水深/cm												
		8	10	11	12	13	14	15	16	17	18	19	20	21
10	2	√		√			√			√			√	
	4		√			√			√			√		
	6				√			√			√			√
	8						√			√			√	
	10								√			√		

圆筒半径/cm	闸下开度/cm	上游水深/cm												
		22	23	24	25	26	27	28	29	30	31	32	33	34
10	2		√			√								
	4	√			√			√						
	6			√			√			√				
	8		√			√			√			√		
	10	√			√			√			√			√

表 4-3　上游水面线在筒顶以下试验方案（筒径 R=5 cm 和 R=15 cm）

圆筒半径/cm	闸下开度/cm	上游水深/cm												
		10	12	14	16	18	20	22	24	26	28	30	32	34
5	4	√	√	√	√	√								
	6		√	√	√	√	√							
	8			√	√	√	√	√						
15	4	√	√	√	√	√	√	√	√	√	√	√	√	√
	6		√	√	√	√	√	√	√	√	√	√	√	√
	8			√	√	√	√	√	√	√	√	√	√	√

4.4　计算模型的确定

4.4.1　模型维数的确定

在网格大小相同的情况下，三维模型的网格数量远大于二维模型网格数量，并且该流场为非定常流动，在计算中所耗费的计算资源和时间远大于二维模型。若采用三维模型，每一工况网格数量达到 50 多万个，计算时间约需 14×24 h。若采用二维模型，每一工况的网格数量达到 10 多万个，计算时间约需 3×24 h（CPU：Genuine Intel（R）1.86GHz；内存：1GB），网格划分较粗，或所取计算域较小时，计算结果将受到影响。因此，为了检验模型维数对计算结果的影响，以物理模型为依据，对三维和二维模型均以 0.35 cm 尺度进行网格划分。书中以闸下开度 h=2 cm，闸顶水深 $h1$=1.04～7.04 cm 进行对比研究，通过三维和二维模型的数值模拟计算，分析检验模型维数对计算结果的影响，从而确定合适的计算模型。

4.4.2 三维模型计算结果

4.4.2.1 速度场分布

图 4-4 为闸下开度 h=2 cm，闸顶水深 $h1$ 为 5.04 cm 时，三维横置圆筒闸体绕流流场速度分布。图中不同灰度的颜色以及箭头长短表示速度的大小。从图 4-4 中可以看出，在横置圆筒闸体上游流速分布比较均匀，液体质点沿流线流向圆筒闸体时流速开始变化，到达圆筒闸体中心线附近时，流速降到最小，随后沿着圆筒壁面向上和向下逐渐增大，由于重力的作用，在圆筒闸体下方流速达到最大。另外由图 4-4 还可以看出，圆筒背水面流速大于其迎水面流速。

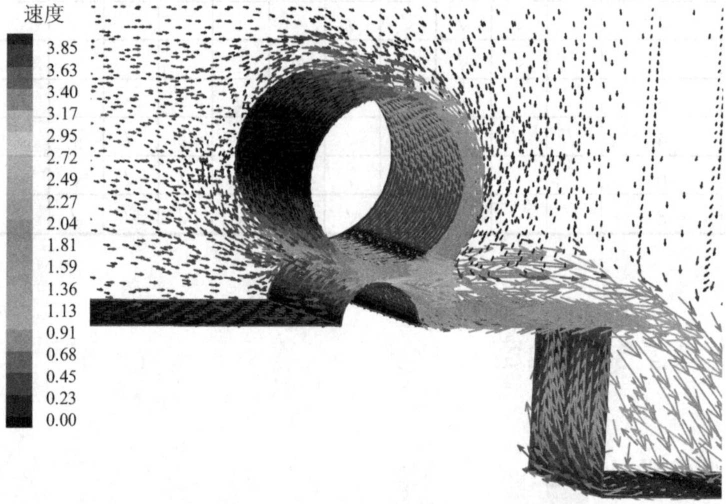

图 4-4 横置圆筒绕流流场速度矢量分布（单位：m/s）

图 4-5 为闸下开度 h=2 cm，不同闸顶水深时圆筒闸体表面的流速分布。从图 4-5（a）可以看出，当闸顶水深 $h1$=1.04 cm 时，圆筒闸体迎水面的速度在中心线附近达到最小，其值趋于 0，沿闸体表面向闸顶和闸底方向逐渐增大，在圆筒闸体最下方达到最大，并且在圆筒闸体下方速度变化梯度较大。在圆筒闸体背水面，由闸顶到闸底流速均匀增大，中心线偏下方速度变化梯度较大，且闸体表面没有回流现象。当闸顶水深 h=5.04 cm、7.04 cm 时，闸体表面速度分布情况同 h=1.04 cm 相似，流动顺畅。

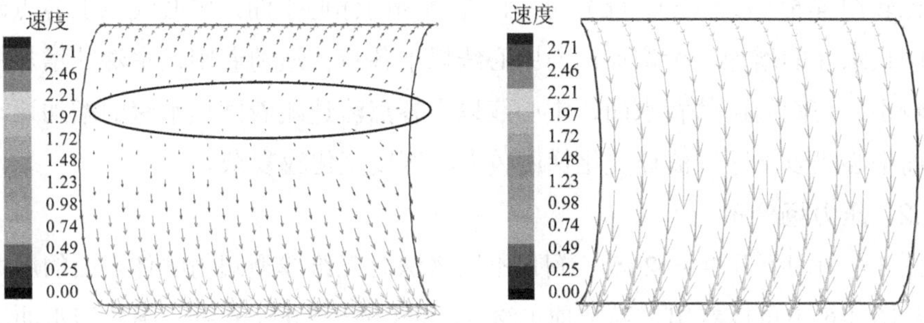

迎水面　　背水面

（a）$h1$=1.04 cm

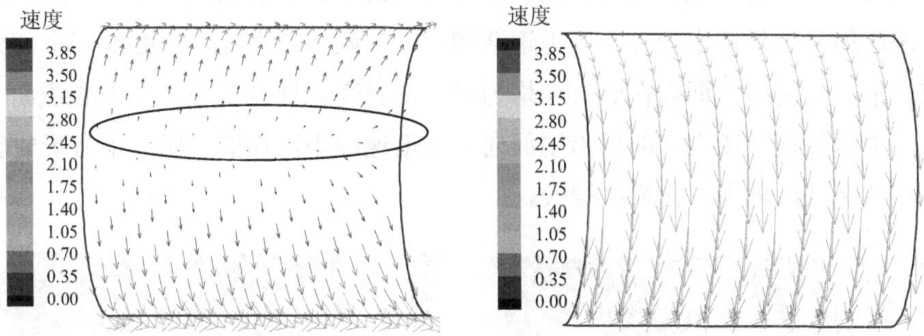

迎水面　　背水面

（b）$h1$=5.04 cm

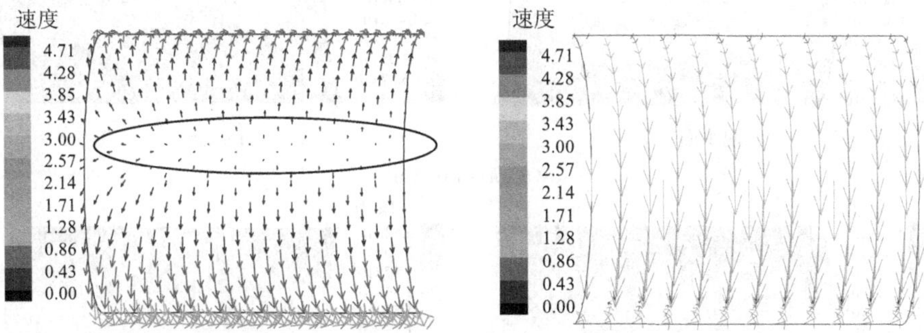

迎水面　　背水面

（c）$h1$=7.04 cm

图 4-5　闸顶水深对圆筒闸体表面速度分布影响（单位：m/s）

比较图 4-5（a）、（b）、（c）可知，在圆筒闸体迎水面，中心线以上各点流速随着闸顶水深的增加逐渐增大，而中心线以下各点流速随着闸顶水深的增加变化幅度较小。在圆筒闸体背水面，中心线以上各点流速随着闸顶水深的增加逐渐增大，而中心线以下区域流速变化梯度较大，速度变化较复杂。

4.4.2.2 压力场分布

图 4-6 为闸下开度 *h*=2 cm，闸顶不同水深时三维模型圆筒闸体表面的压力分布。从图 4-6 中可以看出，当闸顶水深 *h*1 为 1.04～7.04 cm 时，闸体迎水面压力由闸顶向下匀速增大，在圆筒闸体中心线偏下方达到最大，随后压力值沿闸体壁面向闸底方向迅速降低，在圆筒闸体下方降到最小，并有负压区产生。随着闸顶水深的增加，闸体迎水面各点压力逐渐增加。在闸体背水面，中心线偏上部分压力值较小，沿闸体壁面向在底方向均匀增大，且变化梯度较小。在中心线偏下方区域，压力值逐渐增大，随后沿壁面向下又迅速减小，在圆筒闸体下方形成负压区，在该区域内压力变化梯度较大。

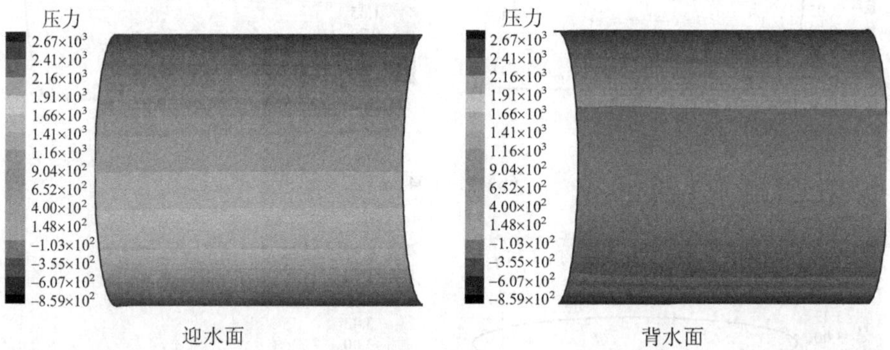

（a）*h*1=1.04 cm

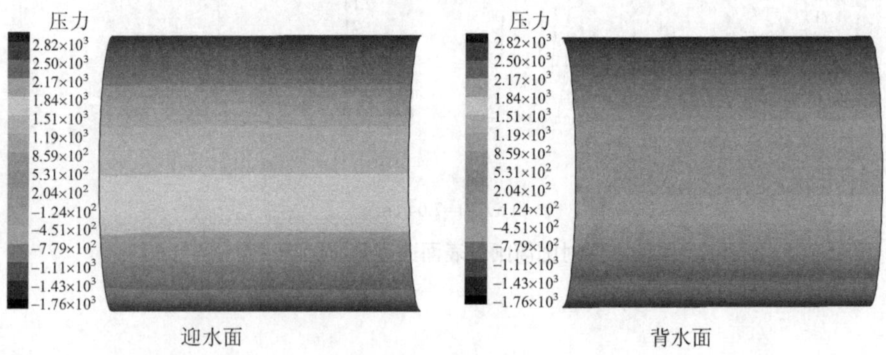

（b）*h*1=5.04 cm

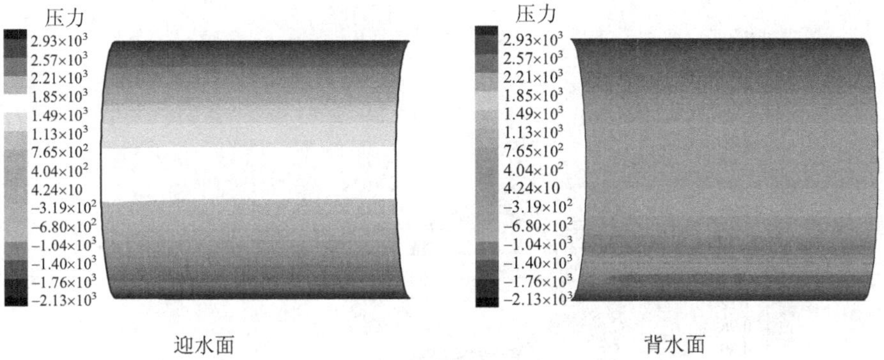

（c）$h1$=7.04 cm

图 4-6　不同闸顶水深时圆筒表面压力分布（单位：Pa）

4.4.3　二维模型计算结果

4.4.3.1　速度场分布

图 4-7 为闸下开度 h=2 cm，闸顶水深 $h1$ 分别为 1.04 cm、5.04 cm、7.04 cm 时，二维横置圆筒绕流流场速度矢量分布。由图 4-7 可知，圆筒闸体上游速度分布比较均匀，当液体质点沿流线流向横置圆筒闸体时，流速开始发生变化。在横置圆筒闸体迎水面中心线附近，流速减小到最小，随后沿闸体壁面向闸顶和闸底方向逐渐增大，在圆筒闸体最下方流速达到最大。另外由该图可看出，闸体背水面流速明显大于迎水面流速。

比较图 4-7（a）、（b）、（c）可知，当闸下开度 h=2 cm 时，随着闸顶水深的增加，圆筒闸体表面中心线以上各点流速逐渐增大，中心线以下各点流速变化并不明显。与其三维模型计算所得结果相同。

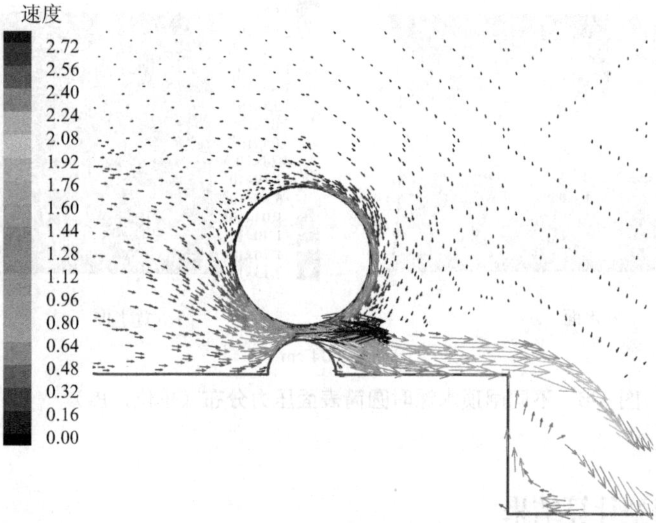

（a）$h1$=1.04 cm

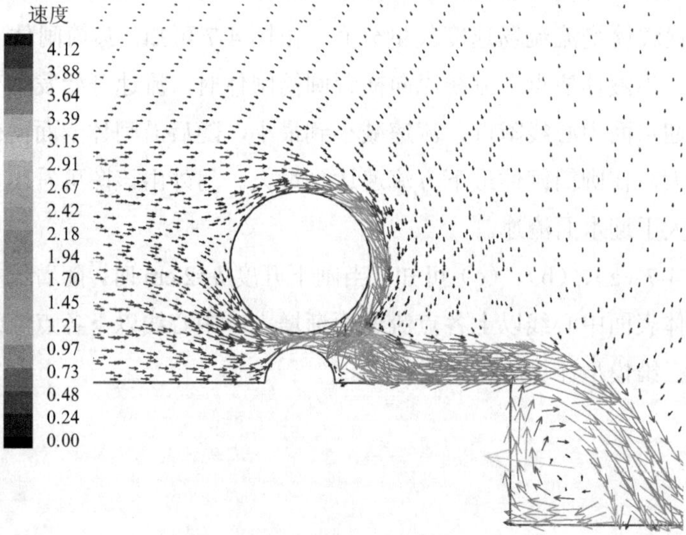

（b）$h1$=5.04 cm

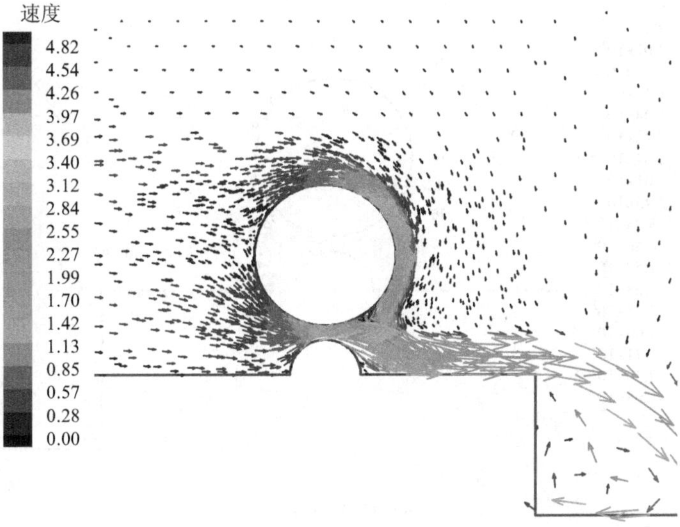

（c）$h1$=7.04 cm

图 4-7　闸顶水深对二维绕流流场速度影响矢量分布（单位：m/s）

4.4.3.2　压力场分布

图 4-8 为闸下开度 h=2 cm，闸顶不同水深时圆筒闸体表面的动水压力分布图。由图 4-8 可知，当闸下开度 h=2 cm，不同闸顶水深时，闸体表面动水压力由闸顶向下逐渐增大，在圆筒闸体中心线偏下方达到最大，继而又逐渐减小，在圆筒闸体最下方降至最小，并在该处形成负压区。比较图 4-7（a）、（b）、（c）可知，当闸下开度一定时，闸体表面各点压力随着闸顶水深的增加逐渐增大。该结论与其三维模型计算所得结论相同。

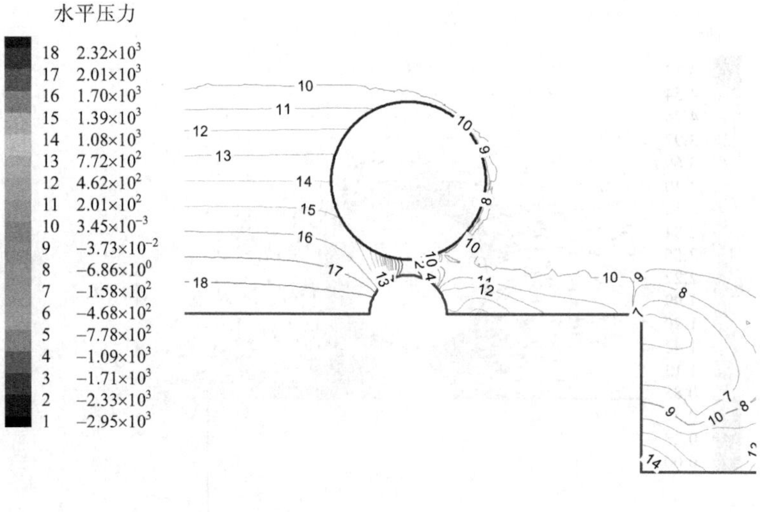

（a）$h1$=1.04 cm

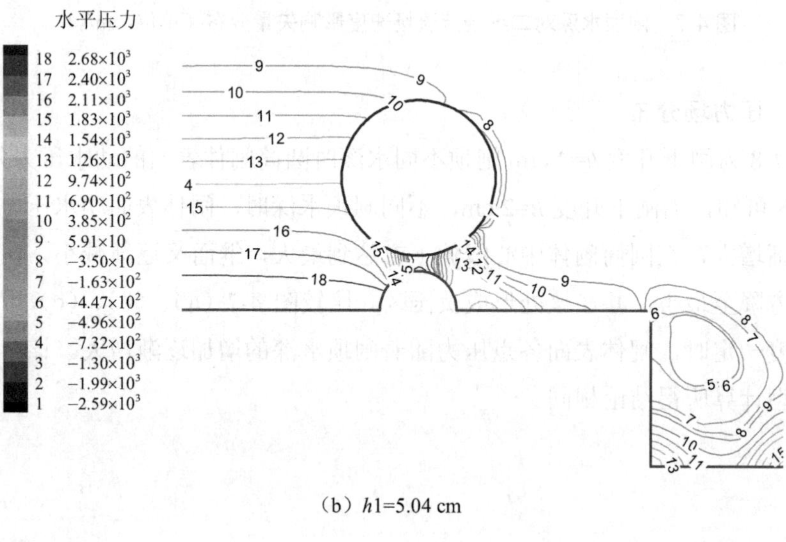

（b）$h1$=5.04 cm

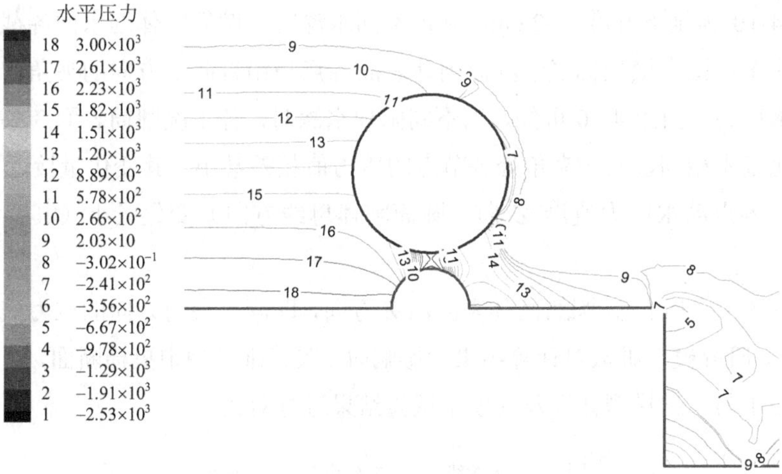

（c）$h1$=7.04 cm

图 4-8　闸顶水深对圆筒表面压力分布影响（单位：Pa）

由 4.4.2 节和 4.4.3 节计算结果可知，采用二维和三维模型所得速度矢量分布和压力分布基本相同。

4.4.4　模型比较分析

为了比较模型维数对计算结果的影响，当闸下开度 h=2 cm 时，分析闸顶水深为 $h1$=1.04 cm、5.04 cm 和 7.04 cm 对计算结果的影响，对三维模型中圆筒闸体表面不同位置截线的动水压力进行分析比较，沿 Z 方向在横置圆筒表面从圆筒中心到边缘依次截取截线 1、截线 2、截线 3 三条截线（图 4-9）。

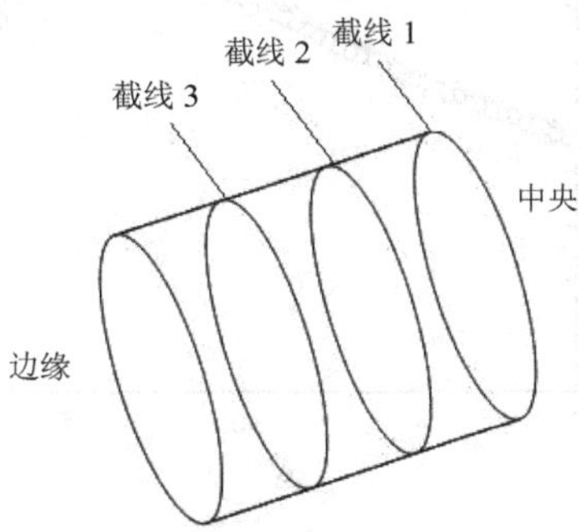

图 4-9　圆筒表面截线位置

图 4-10 为闸下开度 h=2 cm，闸顶不同水深时，圆筒闸体迎水面各截线动水压力变化图。图中横坐标表示圆筒闸体表面各点与铅直向上方向的夹角，纵坐标表示动水压力。由图 4-10 可知，当不同闸顶水深时，各工况圆筒表面 3 条截线的压力变化基本相同，同一夹角处各节点的压力值相差甚小（其变化量接近 0）。由此可知，各点动水压力值沿 Z 向（圆筒闸体母线方向）变化较小（其变化量接近 0）。

由图 4-10 可知，在圆筒闸体表面沿 Z 方向，即同一夹角方向的压力值变化较小，因此，研究模型维数对计算结果的影响时，取三维模型中央横断面，即图 4-10 中的截线 1 与二维模型计算及其模型试验结果进行对比。

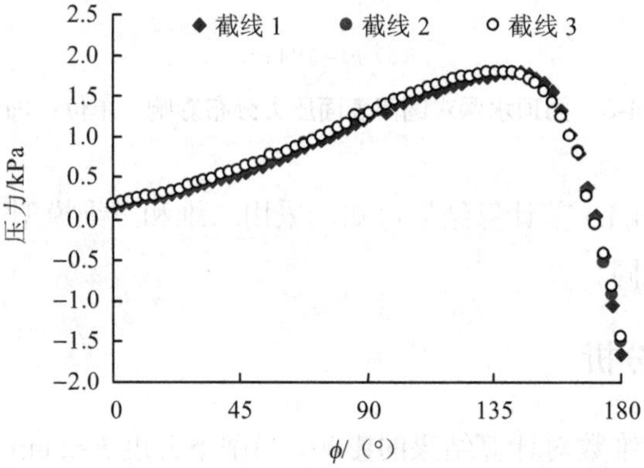

（a）$h1$=1.04 cm

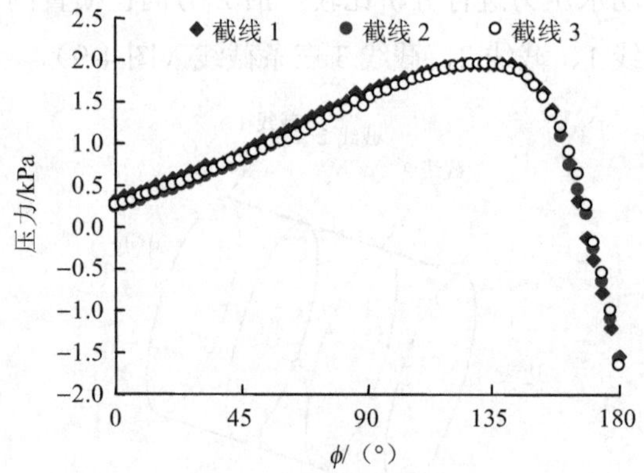

（b）$h1$=5.04 cm

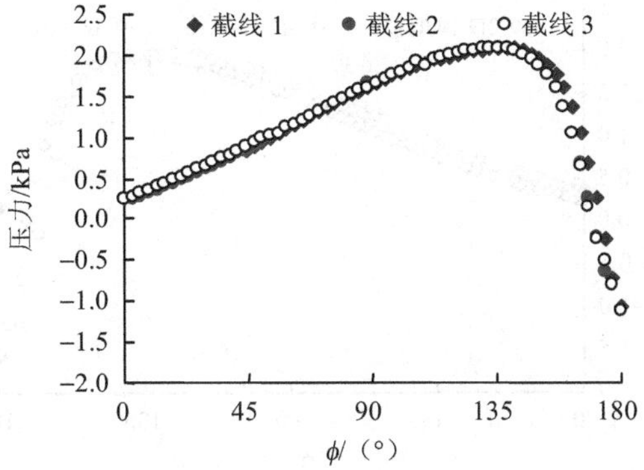

（c）$h1$=7.04 cm

图 4-10　闸顶水深对圆筒闸体表面各截线压力变化影响

图 4-11 为闸下开度 h=2 cm，闸顶水深对二维模型、三维模型计算结果和模型试验结果压力脉动影响图。由图 4-11 可知，二维和三维模拟计算结果与实测值除圆筒闸体最下方（ϕ=180°处）差值较大外，最大差值为 1.8 kPa，其余各点压力值均比较接近。在圆筒闸体最下方模拟值和实测值相差较大，可能是在模型试验中，压力传感器为一凹型空腔，空腔外部为用于保护传感片的带小孔的金属片，而传感器的受力孔直径只有 0.5 cm，圆筒下方流速较大时，水流带走传感器空腔内的部分空气，且空腔内的水流流速低于该处圆筒表面的流速。在数值模拟中，所测点值即为圆筒闸体表面上的点值，其闸下流速较大，由于圆筒闸体壁面的弯曲，水流与壁面发生脱离，故在圆筒闸体下方产生气蚀形成负压。基于以上原因，圆筒下方ϕ=180°处模拟所得负压值大于试验所测负压值。

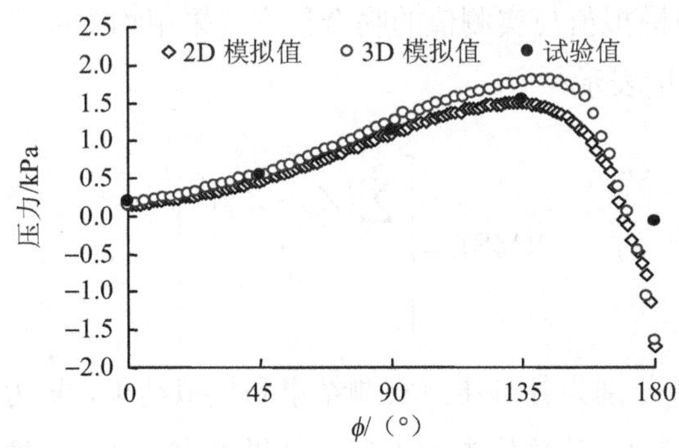

（a）$h1$=1.04 cm

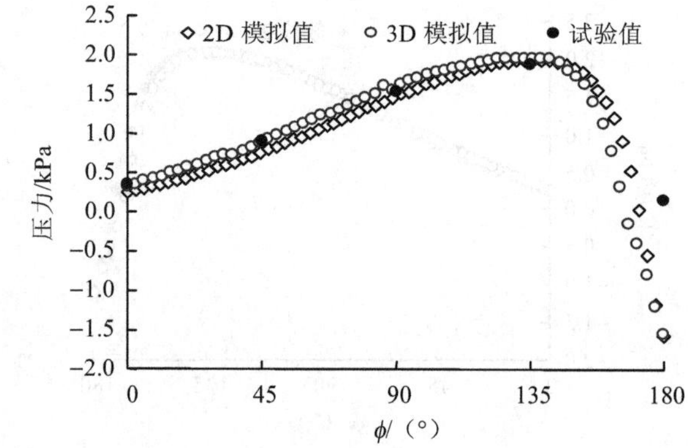

（b）h1=5.04 cm

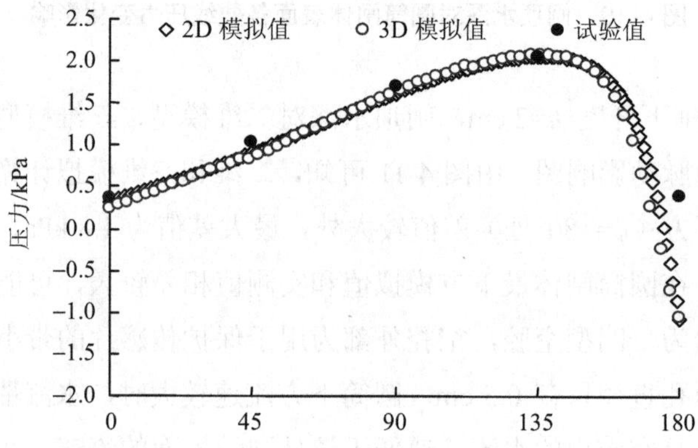

（c）h1=7.04 cm

图 4-11 模型模拟值与实测值对比

为检验各模型模拟值与实测值的吻合程度，采用均方差（Root Mean Squared Error，RMSE）定量表示：

$$\mathrm{RMSE}=\left[\frac{\sum_{i=1}^{n}\left(Z_{oi}-Z_{si}\right)^{2}}{n}\right]^{\frac{1}{2}} \tag{4-4}$$

式中：Z_{oi}、Z_{si} 分别为各测压点实测结果和模拟结果，n 为模型试验时测压点的数量。根据式（4-4）计算均方差误差，结果见表 4-4。根据均方差的概念，其值越小，表示模拟结果与实测值的吻合程度越好。由表 4-4 可以看出，均方误差值均小于 1.0，表明各模型的模拟效果均较好。各工况时三维模型模拟结果与模型试验结果的均方差均稍小于二维模型模拟结果，表明三维模型计算稍优于二维模型。

表 4-4 不同模型模拟值与实测值的均方差比较

模型维数	筒顶水深 $h1$			
	1.04 cm	3.02 cm	5.04 cm	7.04 cm
2D	0.723	0.76	0.78	0.66
3D	0.708	0.73	0.76	0.65

表 4-5 为在网格尺度相同的情况下不同计算模型计算所用的时间。由表 4-5 可知，当采用同样大小的网格时，三维模型的网格节点数为二维模型的网格节点数的约 4 倍，迭代 100 步三维模型所需时间为二维模型所需时间的 4.6 倍，三维模型计算 1 s 流动所耗费的计算时间约为二维模型的 6.5 倍。

表 4-5 不同计算模型所用计算时间比较

模型维数	节点数/万	迭代 100 步所需计算时间/min	计算 1 s 流动时间所需要的总时间/min
2D	11.7	17.1	684
3D	47.3	78.1	4 400

由表 4-4 和表 4-5 可知，在网格尺度同样大小的情况下，三维模型与二维模型相比，精度相差不大，但计算所需时间远大于二维模型所用时间。由于本书计算工况较多，且均为非定常流动，对于每一工况流动达到稳定状态所需时间较长，因此，本书以后的计算中采用了二维模型进行模拟计算。

4.4.5 湍流模型对计算结果的影响

为研究不同湍流模型在横置圆筒闸体绕流流场中的适用性，本书分别采用标准 k-ε 模型、RNG k-ε 模型和 Realizable k-ε 模型三种湍流模型对闸下开度 h=2 cm，

闸顶水深 $h1$=5.04 cm 和闸下开度 h=5 cm，闸顶水深为 $h1$=5.46 cm 时，横置圆筒闸体表面动水压力进行了计算，计算结果见图 4-12。为了分析各湍流模型模拟值与物理模型实测值的吻合程度，同样采用模拟值与物理模型试验实测值的均方差进行比较，其结果见表 4-6。

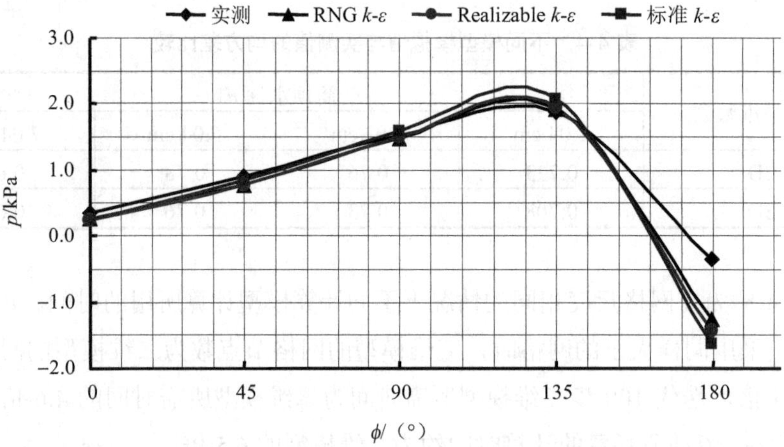

（a）h=2.00 cm，$h1$=5.04 cm

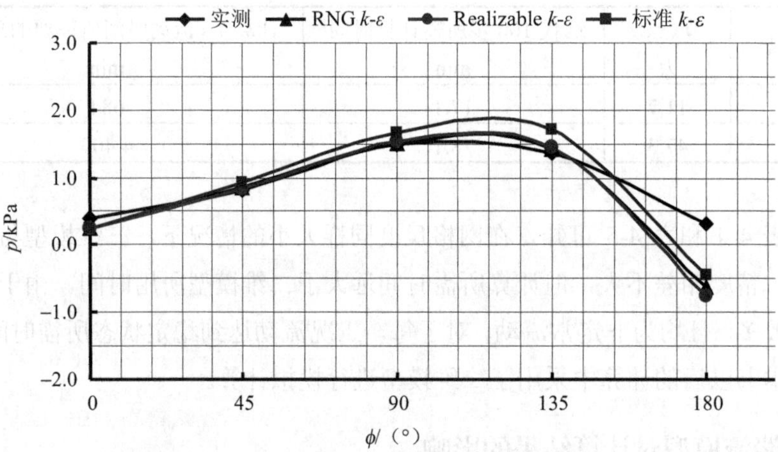

（b）h=5.00 cm，$h1$=5.46 cm

图 4-12　湍流模型模拟结果比较

由图 4-12 可知，在圆筒闸体迎水面中心线以上，即 0＜ϕ＜90°区域，三种湍流模型模拟所得压力值差异较小，但在 90°＜ϕ＜180°区域，采用 RNG k-ε 模型较 Realizable k-ε 和标准 k-ε 模型计算结果接近实测值。由表 4-6 可知，当闸下开度 h=2 cm，闸顶水深 $h1$=5.04 cm 时，RNG k-ε、Realizabke k-ε 和标准 k-ε三种模型计算所得压力与实测值的均方差分别为 0.40、0.49 和 0.58，当闸下开度 h=5 cm，筒顶水深 $h1$=5.04 cm 时，三种模型计算所得压力值与实测值的均方差分别为 0.43、0.49 和 0.40。

表 4-6　湍流模型计算值与实测值均方差比较

工况		均方差		
闸下开度 h/cm	筒顶水深 $h1$/cm	RNG k-ε	Realizable k-ε	标准 k-ε
2	5.04	0.40	0.49	0.58
5	5.46	0.43	0.49	0.40

因此，经各模型计算所得模拟值与模型试验实测值对比可知，采用 RNG k-ε 模型优于 Realizable k-ε 模型和标准 k-ε 模型。本书后续研究的数值模拟计算中采用 RNG k-ε 湍流模型。

4.4.6　网格数量对计算结果的影响

有限体积法是计算流体力学常用的离散化方法，网格越粗计算所能达到的收敛精度就越低，甚至在一些情况下不能收敛。时间步长和网格的选取对于湍流 CFD 模拟的影响也跟所模拟的对象及对象内湍流复杂程度有关，不同工况其影响也不同。另外，时间步长越小，需要的计算网格尺寸也较小，而计算网格尺寸小则数量大，所耗费的计算资源和时间就增加。

本书对于二维横置圆筒绕流流场分别采用不同的网格数量，分析不同网格数量下所采用的最大时间步长对计算结果的影响，三种网格数分别为 5.6 万、11.7 万和 19.5 万。三种网格数量计算所得圆筒闸体迎水面水压力和试验实测所得结果进行比较。图 4-13 为闸下开度 h=2 cm，闸顶水深 $h1$=5.04 cm 时，圆筒闸体表面动水压力的变化曲线。

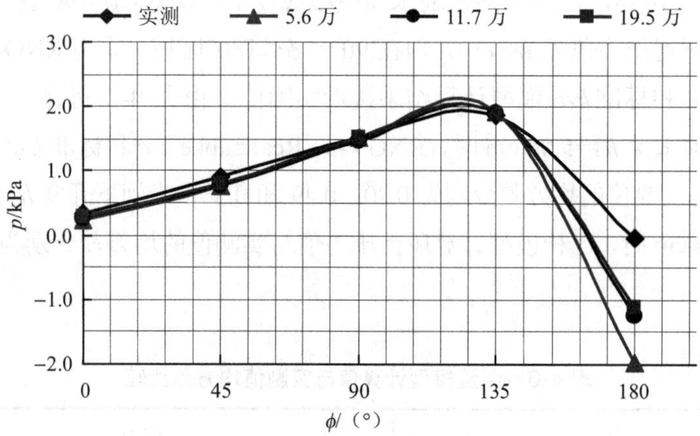

图 4-13 网格数量模拟结果比较

由图 4-13 可看出，圆筒闸体表面水压力计算值与试验实测值变化趋势一致。1 号、2 号、3 号和 4 号测压点处各点计算压力值与实测值吻合较好，最大差值为 0.1 kPa。在圆筒闸体最下方 5 号测压点，即ϕ=180°处，动水压力模拟值小于零，为负压，小于实测值，其原因分析见 4.4.4 节。

针对三种不同的网格数量划分情况，采用逐个计算的方法确定适合三种网格数量的最大时间步长。同时，记录分析每计算 100 个时间步长所花费的时间，以及计算实际流动 1 s 所需要的总时间，结果见表 4-7。

表 4-7 网格数量计算所用时间比较

网格数量/万	选取最大时间步长/s	迭代 100 步所需计算时间/min	计算 1 s 流动时间所需要的总时间/min
5.6	3.0×10^{-4}	7.8	260
11.7	2.5×10^{-4}	17.1	648
19.5	2.0×10^{-4}	26.4	1 320

比较三种网格数量情况下数值模拟值与实测值的均方差，网格数量分别为 5.6 万、11.7 万和 19.5 万，与实测值的均方差分别为 0.87、0.54、0.49，比较可知，随着网格的加密，计算所用时间明显增长。随着网格的加密，模拟计算值与实测

值的均方差减小并不多（最大值为 0.38），由于该计算为非定常计算，每一工况计算所需时间较长，网格数量为 19.5 万的模型与 11.7 万的模型计算值相当，而网格数量为 19.5 万的模型所需计算时间远大于网格数量为 11.7 万模型所需计算时间，因此本书选用为 11.7 万网格数量的模型进行更多工况的计算研究。

4.4.7　壁面处理对计算结果的影响

为了分析 2.3.3 节中各壁面处理方法对横置圆筒闸体绕流流场的计算结果的影响，分别对标准壁面函数、非均衡壁面函数、增强型壁面处理对横置圆筒闸体绕流流场进行计算，图 4-14 为 RNG k-ε 模型结合三种不同壁面函数处理方法的数值模拟结果。

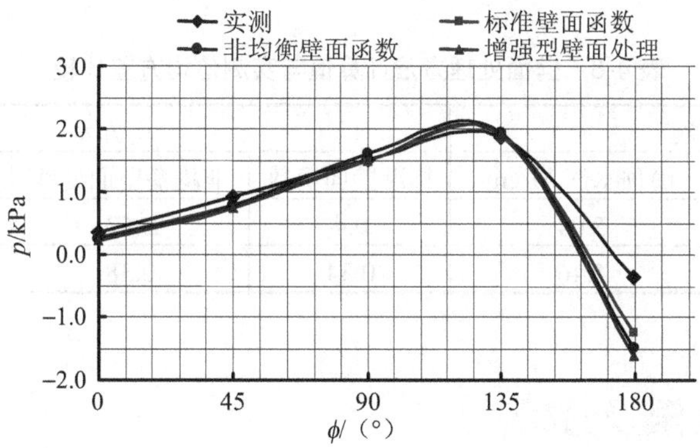

（a）h=2 cm，h1=5.04 cm

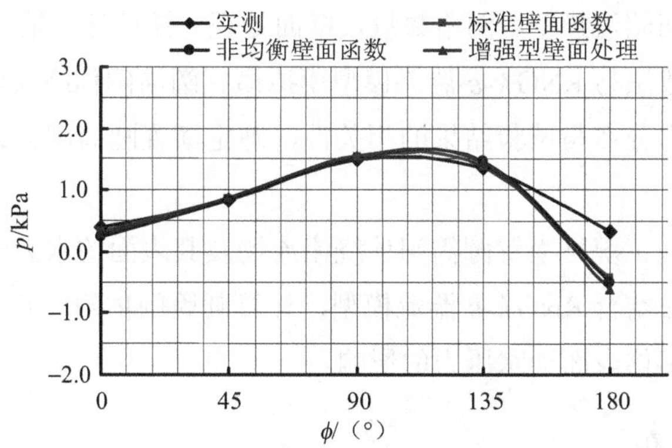

（b）h=5 cm，h1=5.46 cm

图 4-14　壁面处理方法模拟结果比较

从图 4-14 中可以看出，采用不同壁面处理方法模拟所得圆筒闸体迎水面动水压力变化规律相似，除圆筒闸体最下方 5 号点之外，其他各点模拟压力值与实测值均比较接近，且不同壁面处理方法对计算结果的影响很小。为检验不同壁面函数处理方法模拟计算值与实测值的差异，书中采用均方差进行比较，其结果见表 4-8。当闸下开度 h=2 cm、闸顶水深 $h1$=5.04 cm 时，标准壁面函数、非均衡壁面函数、增强型壁面处理三种壁面处理方法计算所得模拟值与实测值的均方差分别为 0.40、0.52 和 0.58。当闸下开度 h=5 cm、闸顶水深 $h1$=5.04 cm 时，三种方法计算所得模拟值与实测值的均方差分别为 0.34、0.38 和 0.43。因均方差越小，精度越高，故标准壁面函数进行壁面处理的模拟结果精度相对较高。模拟计算均选择标准壁面函数进行壁面处理。

表 4-8 壁面处理方法计算值与实测值均方差比较

工况		均方差		
闸下开度 h/cm	筒顶水深 $h1$/cm	标准壁面函数	非均衡壁面处理	增强型壁面处理
2	5.04	0.4	0.52	0.58
5	5.46	0.34	0.38	0.43

4.5 计算结果及分析

通过上述不同湍流模型、网格数量及壁面处理方法筛选，采用 11.7 万网格数量及标准壁面函数法与 RNG k-ε 湍流模型模拟横置圆筒闸体绕流流场，分析圆筒闸体表面动水压力分布与试验结果的相关性，确定横置圆筒闸体绕流流场模拟计算方法。

为了研究不同工况下横置圆筒闸体绕流流场及其表面的水力学特性，本书选用标准壁面函数法结合 RNG k-ε 湍流模型，计算圆筒闸体闸下开度、闸顶水深、闸体直径对圆筒闸体表面动水压力的影响。

4.5.1 相体积分布

水流自由表面是通过水气两相分层流的瞬态迭代计算进行求解。书中以闸下

开度 h=2 cm、闸顶水深 $h1$=5.04 cm 为例，研究了不同时刻，水流绕流横置圆筒闸体的相体积分布。分析了水流时间 t=1.92 s、8.00 s、32.00 s 和 60.80 s 时，流场中水和气的体积分数。

通过模拟计算可以模拟水流绕流圆筒闸体的流动过程。初始状态为 t=0.00 s，当 t=1.92 s 时，水舌前锋已流到圆筒闸体底部，当 t=8.00 s 时，由于闸下开度较小，闸底过流流量小于进口流量，故圆筒闸体上游出现水位壅高现象，当 t=32.00 s 时，上游水面线高于闸顶，圆筒闸体顶部开始过水，并随着计算时间的增加，闸顶水深逐渐加大，当 t=60.80 s 时，入口流量和出口流量已达到平衡，闸顶水深基本保持不变，水流达到稳定状态。VOF 方法较形象地模拟了水流的整个过程，可以很好地跟踪水流的自由表面，有效生成水气交界面。

4.5.2　模型验证

为了进一步验证模型的合理性，本书对上游水面线在闸顶以上、闸顶以下，不同闸下开度时圆筒闸体表面动水压力模拟值和实测值进行对比。

图 4-15 为闸下开度 h=1 cm、3 cm、5 cm，不同闸顶水深 $h1$ 时，横置圆筒闸体迎水面动水压力的模拟值和实测值。

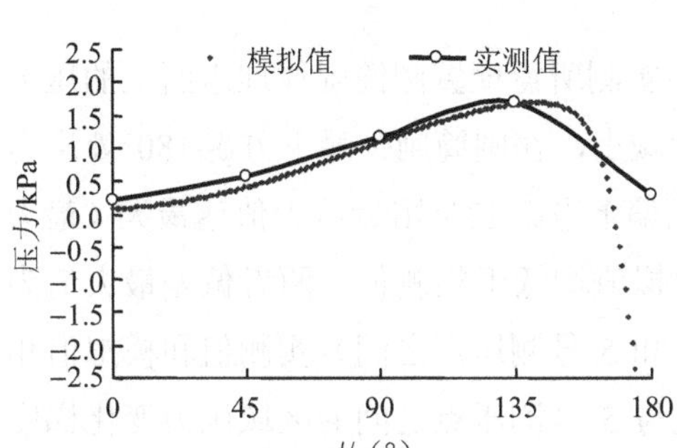

（a）h=1 cm，$h1$=1.04 cm

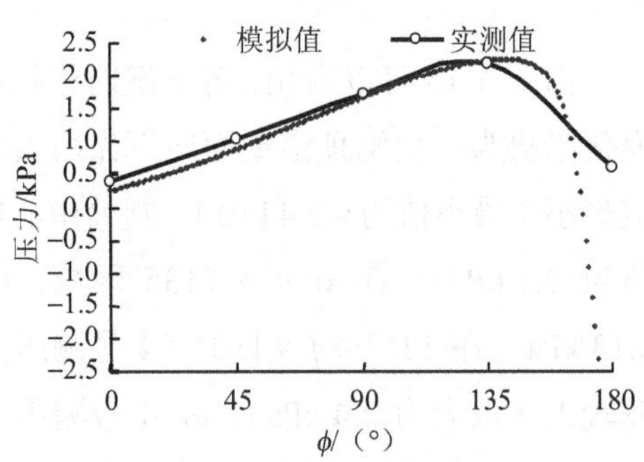

（b）h=1 cm，$h1$=7.04 cm

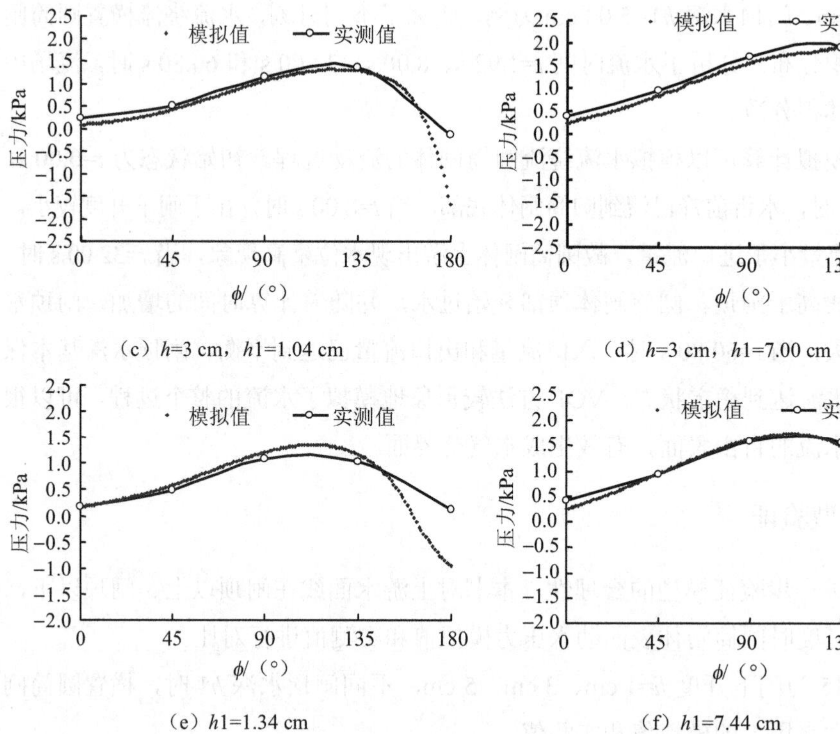

图 4-15 模拟值与实测值对比

由图 4-15 可以看出，各工况时模拟和实测所得横置圆筒闸体迎水面上的压力变化趋势为：由闸顶沿壁面向下先增大后减小，在圆筒闸体最下方ϕ=180°处压力值最小（最小值为 −2.4 kPa），圆筒中心线偏下方ϕ=135°附近压力值达最大（最大值为 2.1 kPa）。在 0°＜ϕ＜135°区域，模拟值均低于实测值，两者偏差最大值为 0.13 kPa。在 135°＜ϕ＜180°（4 号测压点和 5 号测压点之间）实测值和模拟值相差较大（最大为 2.4 kPa），在 4 号测压点与 5 号测压点之间的区域压力变化梯度较大，且由模型尺寸所限，在该区域内不能布置更多的压力传感器，故使该区域内模拟值与实测值差值较大。

在圆筒闸体最下方ϕ=180°（5 号测压点）处，压力模拟值小于零，为负压，且绝对值较大，当闸下开度 h=1 cm 时，模拟值与实测值相差最大值达 2.6 kPa，随着闸下开度的加大，模拟值与实测值差值逐渐减小，当 h=5 cm 时，其最大差值为 0.96 kPa。造成该差值较大的主要原因是在物理模型试验中，由于压力传感器为一凹型空腔，空腔外部为用于保护传感片的带小孔的金属片，而传感器的受力孔直径为 0.5 cm，在圆筒下方流速较大时，水流带走传感器空腔内的部分空气，且空腔内的水流流速低于该处圆筒闸体表面的流速，随着闸下开度的加大，空腔内的水流速度变化较小，故压力实测值随闸下开度的加大变化较小（最大差值为 0.64 kPa），且所测压力值大于实际值。在数值模拟中，所测点值即为圆筒闸体表面上的点值，其闸下流速较大，由于圆筒壁面的弯曲，水流与壁面发生脱离，故在圆筒闸体下方产生气蚀形成负压，且该处压力值所受闸下开度的影响较大，故闸下开度由 h=1 cm 加大到 h=5 cm 时，最小压力值由 –2.4 kPa 增加到 –0.91 kPa。基于以上原因，圆筒闸体下方 ϕ=180°处模拟所得负压值大于试验所测负压值。

为了研究上游水面线在闸顶以下中心线以上时，不同工况圆筒表面动水压力模拟值和实测值的相关关系。图 4-16 为闸下开度 h=2 cm，上游水深 H=26 cm，以及闸下开度 h=4 cm，上游水深 H=28 cm 时，模拟值与实测值的对比。

由图 4-16 可知，在该过流情况下，各工况模拟值与实测值变化规律同样呈先增大后减小趋势，且模拟值均小于实测值，除 135°＜ϕ＜180°区域外模拟值和实测值均吻合较好（最大差值为 0.48 kPa）。

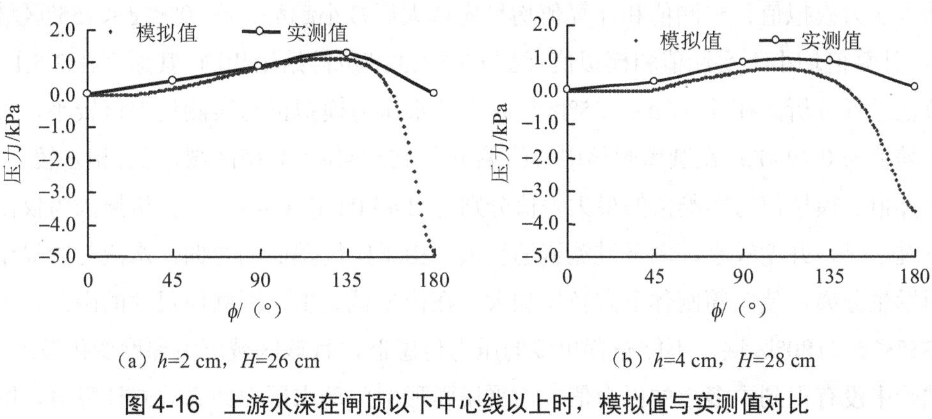

（a）h=2 cm，H=26 cm　　（b）h=4 cm，H=28 cm

图 4-16　上游水深在闸顶以下中心线以上时，模拟值与实测值对比

由于上游水面线在圆筒中心线以下时，圆筒闸体过流情况与弧形闸门相似，故本书对该过流情况下，圆筒闸体表面动水压力的模拟值、实测值和利用弧形闸门动水压力计算式（1-1）计算值进行比较。当上游水面线在中心线以下时，只有圆筒中心线以下部分在水面以下，因此对水面以下模拟值、实测值及计算值进行了对比分析。图 4-17 给出了闸下开度 h=2 cm、上游水深 H=17 cm，以及闸下开度 h=4 cm、上游水深 H=19 cm 时，圆筒闸体表面 90°＜ϕ＜180°区域内模拟值、实测值与计算值的对比图。

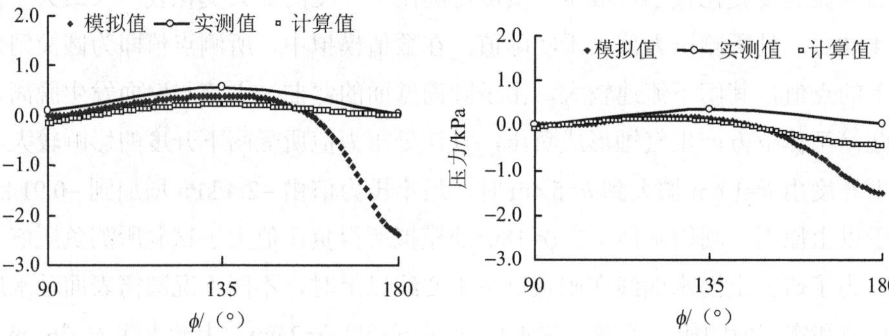

（a）h=2 cm，H=17 cm （b）h=4 cm，H=19 cm

图 4-17 上游水深在中心线以下时，模拟值、实测值和计算值对比

由图 4-17 可知，当上游水面线在中心线以下时，圆筒闸体表面水面以下各点动水压力模拟值、实测值和计算值均呈先增大后减小趋势，在 0°＜ϕ＜155°区域内，计算值均小于实测值和模拟值，这与 3.5.1.3 节所得结论相同，其原因在 3.5.1.3 节已进行分析。在 0°＜ϕ＜155°区域各点动水压力模拟值与实测值差值较小，最大差值为 0.29 kPa。在圆筒闸体中心线偏下方 155°＜ϕ＜180°区域，三者相差较大，计算值、模拟值与实测值的最大差值分别为 2.4 kPa 和 0.4 kPa。分析原因为仅闸下过水时，开度较小，闸下过流流速较大，由于圆筒壁面的弯曲，水流与圆筒壁面发生分离，使圆筒闸体下方负压加大。在模型试验中，因圆筒尺寸的限制，在 135°＜ϕ＜180°区域，不能布置更多的压力传感器，且该区域压力梯度变化较大，试验中没有得到更多点的压力值。而采用弧形闸门动水压力计算公式计算时，圆筒闸体下方ϕ=180°处计算值均为 0，且在模型试验和数值计算中，圆筒闸体下方均设有 R=5 cm 的半圆形闸坎。而采用弧形闸门动水压力计算公式计算时，圆筒闸体下方ϕ=180°处计算值均为 0，可能是基于以上原因，使 155°＜ϕ＜180°区域模拟值、实测值与计算值三者相差较大。

综上所述，不同工况模拟值与实测值均吻合较好，并满足流体力学规律，从而进一步验证了该数学模型的合理性。因此，采用该模型弥补物理模型未能完成的工况是可行的，对建立水流中横置圆筒闸体表面动水压力的计算模式，为水力自动滚筒闸门的设计及其应用研究有重要意义。

4.6　本章小结

本章针对横置圆筒闸体绕流的特点，利用流体动力学软件对横置圆筒闸体绕流流场进行数值模拟，得到了绕流流场速度和压力分布图以及圆筒闸体表面的动水压力变化趋势，将模拟值与实测值进行比较，得到以下结论：

①通过二维模型和三维模型计算结果对比分析可知，采用二维模型模拟横置圆筒闸体绕流流场，其结果与三维模型模拟计算结果和模型试验实测结果均较接近，可大大节省计算资源与时间，表明采用二维模型模拟横置圆筒闸体绕流流场是可行的。

②通过采用标准 k-ε、RNG k-ε 和 Realizable k-ε 三种湍流模型计算横置圆筒闸体表面动水压力的变化，其结果表明三种湍流模型计算结果均相差不大，与实测值吻合也较好（最大均方差为 0.58）。通过对模拟值与实测值均方差比较可知，RNG k-ε 可以更好地模拟流线弯曲的横置圆筒闸体绕流流场。

③通过采用不同的壁面处理方法对横置圆筒闸体绕流流场进行模拟计算，通过比较分析可知，采用标准壁面处理所得结果与实测值最为接近。

④从不同时刻绕流流场的相体积分布可知，VOF 模型可很好地对水气界面进行迭代计算，可有效跟踪水流的自由表面，生成水气交界面，适合于该绕流流场模拟计算。

⑤各工况圆筒闸体迎水面的动水压力分布均呈先增大后减小趋势，除圆筒闸体最下方外，各点模拟值与实测值接近。5 号测压点模拟值小于实测值，原因是闸下开度较小，过流流速较大，圆筒壁面的弯曲，使水流与壁面发生分离，故形成负压区。而在试验中由于压力传感器空腔的缘故，使闸筒下方负压减小。

第 5 章　浊水资源取水建筑物的闸门水力特性研究

了解横置圆筒闸体表面的水力学特性，是水力自动滚筒闸门设计和研究的前提，也是浊水资源利用工程中亟须解决的问题。因此，为了研究不同工况时，水流中横置圆筒闸体表面的水力学特性，本书对影响横置圆筒闸体水力学特性的一些主要因素进行了较系统的分析，探索横置圆筒闸体表面动水压力计算的模式，为水力自动滚筒闸门的优化设计提供实用指导。

第三章、第四章对横置圆筒闸体绕流流场的模型试验和数值模拟进行了研究，其试验结果和模拟结果为本章工作奠定了基础。同时用物理模型试验结果也验证了数值模型的合理性，因此本书采用第 4 章所验证的数学模型对未能实现的物理模型实验工况进行数值模拟补充完善。数值模拟方法比物理试验更经济省时，并且可得到整个流场的速度、流线、压力分布等指标。因此，利用数值模拟研究可以更全面快捷地了解横置圆筒闸体绕流流场的特性，可以对横置圆筒闸体的水力学特性进行更深入的研究。

本章通过数值模拟的方法对横置圆筒展开系统研究，重点分析闸下开度、上游水深、滚筒闸体直径对横置圆筒闸体绕流流场及水力学特性影响，展开系统的研究。

5.1　速度分布

为了研究滚筒闸体表面速度分布，以物理模型为依据，对闸下开度、上游水深和滚筒直径对圆筒闸体表面速度的影响进行分析研究。

5.1.1　不同闸顶水深时绕流流场速度分布

书中以圆筒闸体半径 R=10 cm，闸下开度 h=5 cm 工况进行分析，图 5-1（a）、（b）（c）分别为闸顶水深 h1=1.34 cm、6.38 cm 和 9.00 cm 时，水流绕流横置圆筒闸体的速度矢量变化图，图中箭头长短和颜色表示流速的大小，箭头方向表示流速方向。

由图 5-1 可以看出，随着上游水深的增加，圆筒闸体上游断面流速变化较小，流体沿流线流向圆筒闸体时，流速逐渐减小，在圆筒中心线偏上方，流速减到最小。继续流来的流体沿圆筒壁面向上和向下绕流圆筒闸体，且流速沿壁面向上和向下逐渐增大，由于重力作用，在圆筒闸体下方流速达到最大。经圆筒上、下方过流的流体在圆筒闸体背水面汇合，故圆筒闸体背水面速度矢量变化较复杂，且在圆筒闸体下游跌坎处有涡产生。且比较图 5-1（a）、（b）、（c）可知，随着闸顶水深的增加，圆筒闸体迎水面中心线以上区域，以及圆筒闸体背水面速度有增大的趋势。

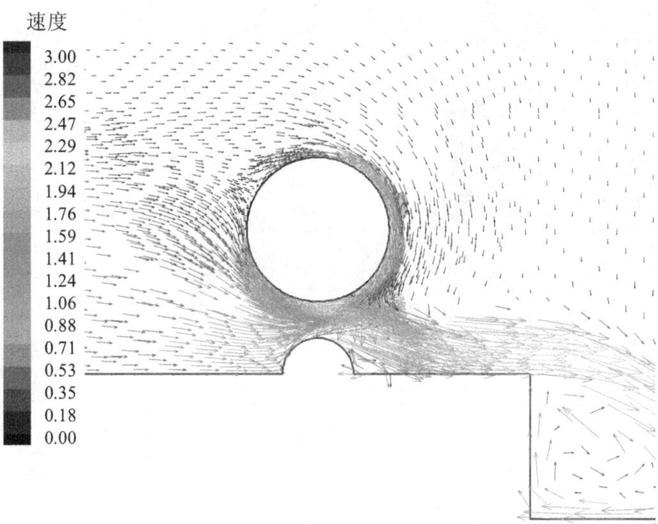

（a）h1=1.34 cm

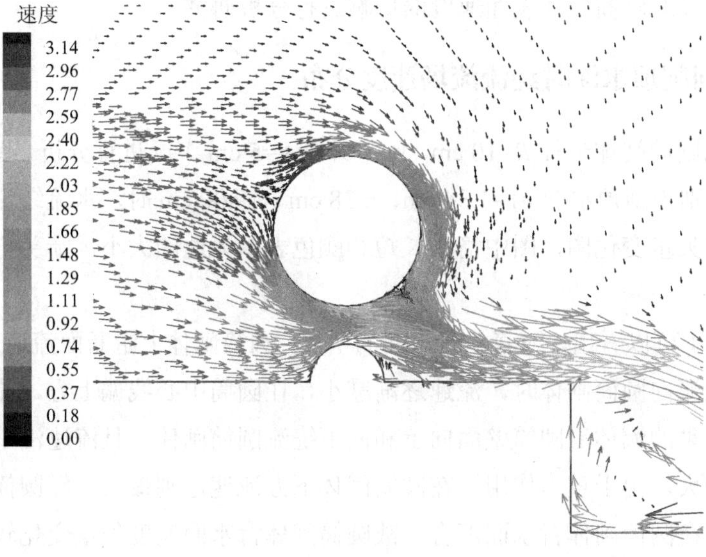

（b）$h1$=6.38 cm

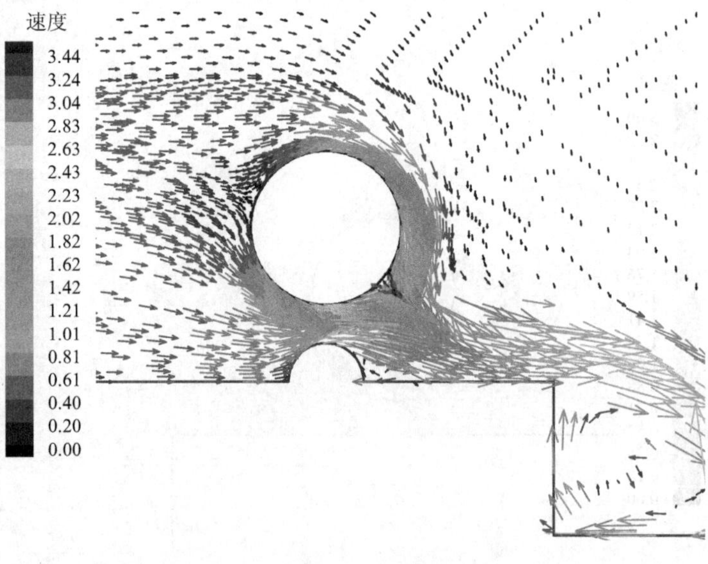

（c）$h1$=9.44 cm

图 5-1　闸顶水深对绕流流场速度矢量影响（单位：m/s）

图 5-2 为闸下开度 h=0 cm、3 cm、7 cm、9 cm，闸顶水深对圆筒闸体表面的速度分布影响曲线。

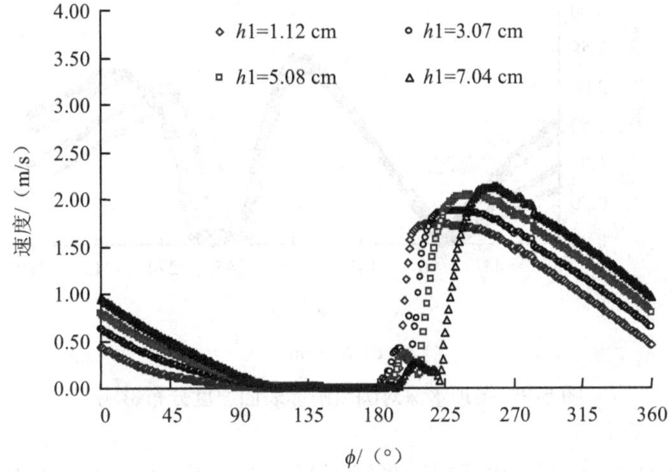

（a）h=0 cm

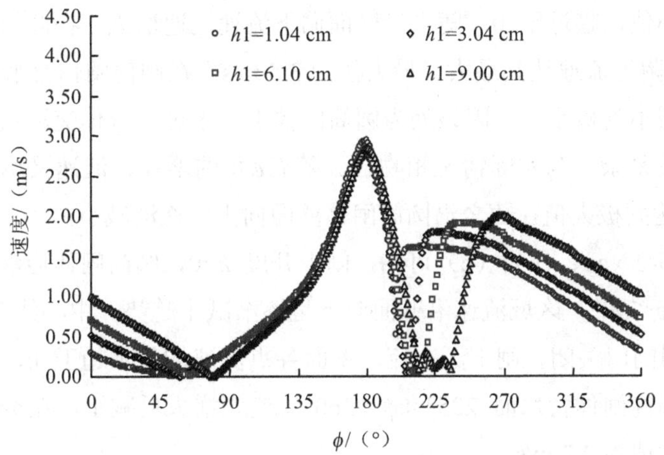

（b）h=3 cm

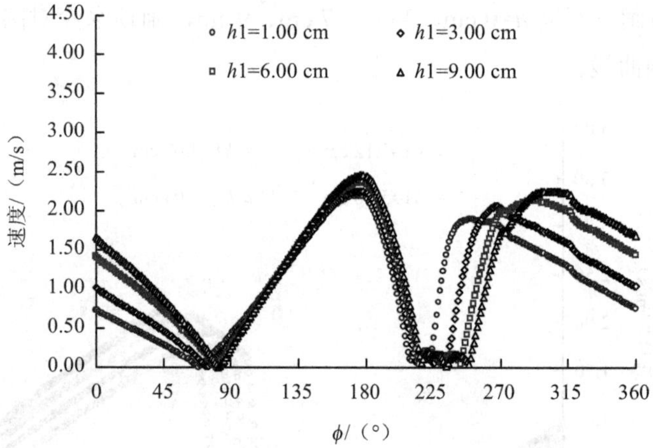

（c）h=9 cm

图 5-2 闸顶水深对圆筒闸体表面速度分布影响

由图 5-2（b）、（c）可以看出，当闸下开度 h 大于 0 时，各工况横置圆筒闸体表面速度曲线大致呈“减小—增大—减小—增大”的“W”形。在圆筒闸体迎水面中心线以上 0°＜ϕ＜75°区域，流速沿壁面由闸顶向下逐渐减小，在ϕ=75°附近流速减为极小值，趋近于 0；随之沿壁面向下流速迅速增大，在圆筒闸体最下方（即ϕ=180°）附近流速达到最大，最大值为 3.5 m/s；在圆筒闸体背水面ϕ=225°附近流速再次减小到极小值，因该处为圆筒闸体上、下过流流体交汇点，故该点附近流速变化较复杂，与实际情况相吻合。随着ϕ角的增加，流速又迅速增加，在ϕ=270°附近达到极大值，随之沿圆筒闸体壁面向上又逐渐减小。

对比图 5-2（a）、（b）、（c）可知，闸下开度 h=0，圆筒闸体迎水面中心线以上（即 0°＜ϕ＜90°）区域流速沿壁面向下呈逐渐减小趋势，中心线以下 90°＜ϕ＜180°区域因闸门关闭，闸下无水流，壁面各点流速均基本趋于 0，与实际流动相吻合。在圆筒闸体背水面 225°＜ϕ＜360°流速先增大后减小，在ϕ=270°附近达极大值，极大值为 2.2 m/s。

由此可知，圆筒闸体表面流速变化比较复杂，因流体流经横置圆筒闸体时，圆筒将流体分为上、下两部分，在圆筒背水面，两部分流体又重新汇合，形成旋涡。流体沿弯曲的壁面流动过程中，在背水面处汇合，流体间相互挤压，流体汇合处，流场复杂，流速沿程变化幅度较大。

另外由图 5-2 还可知，闸下开度大于 0 时，圆筒闸体迎水面中心线以上 0°<ϕ<75°区域，流速随着闸顶水深的增加逐渐增大，且极小值点随着闸顶水深的增加沿壁面逐渐向下移动。而中心线以下区域，随着闸顶水深的增加，流速变化幅度较小。在圆筒闸体背水面ϕ=270°附近的极大值点随着闸顶水深的增加，逐渐向闸顶方向移动。270°<ϕ<360°区域，随着闸顶水深的增加，圆筒闸体表面各点流速流速逐渐增大。

当闸下开度 h=0 cm 时，在圆筒闸体迎水面中心线以上 0°<ϕ<90°区域，各点压力随着闸顶水深的增加而逐渐增大。中心线以下 90°<ϕ<180°区域各点流速保持不变，均趋于 0，在圆筒闸体背水面ϕ=270°附近的最大值点位置随着闸顶水深的增加，沿壁面逐渐向闸顶方向移动，在 225°<ϕ<360°区域，各点流速随着闸顶水深的增加也逐渐增大。

5.1.2　闸下开度对绕流流场速度影响

书中以圆筒闸体半径 R=10 cm，闸顶水深为 5 cm 的工况进行分析，图 5-3（a）、（b）、（c）分别为闸下开度 h=1 cm、4 cm 和 10 cm 时，横置圆筒闸体绕流流场速度矢量分布图。

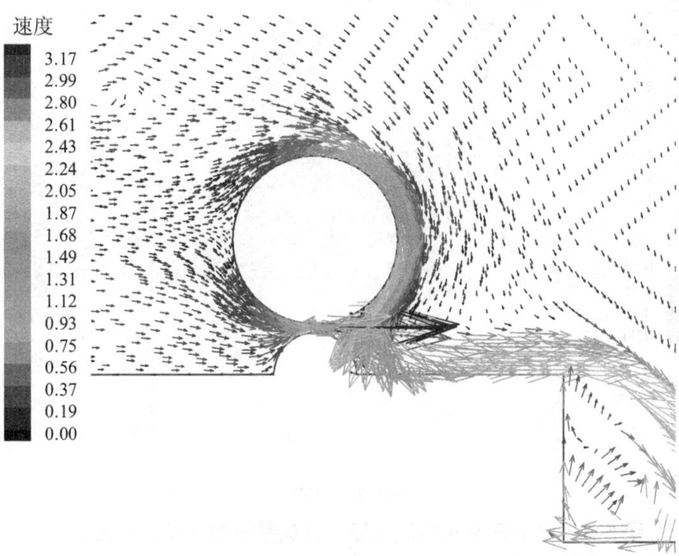

（a）h=1 cm

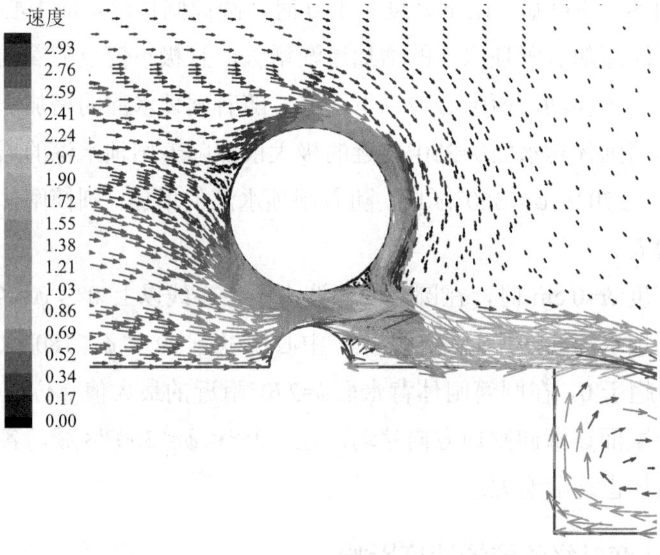

（b）h=4 cm

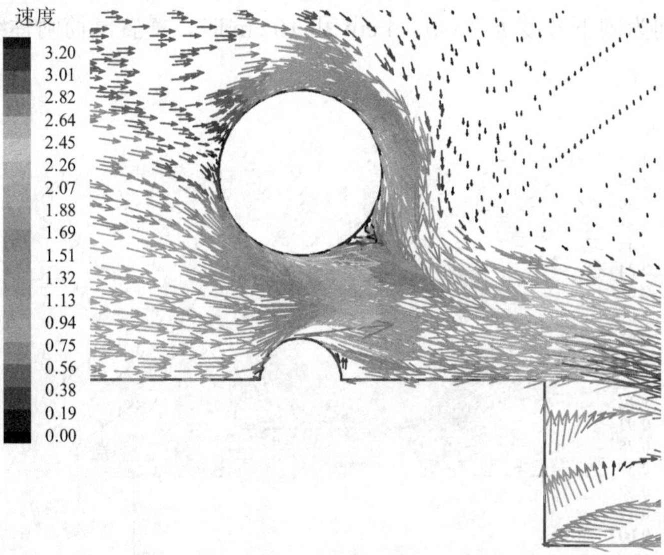

（c）h=10 cm

图 5-3　闸下开度对绕流流场速度矢量影响（单位：m/s）

由图 5-3 可知，当闸顶水深一定时，圆筒闸体上游断面流速随着闸下开度的增加而加大，而圆筒闸体下方流速随着闸下开度的加大而逐渐减小，圆筒闸体背水面流速随闸下开度加大有逐渐增大的趋势。

图 5-4 为闸顶水深分别为 $h1$=1 cm、5 cm、7 cm，闸下开度对圆筒闸体表面速度分布影响图。由图 5-4 可知，当闸顶水深一定，不同闸下开度时，各工况圆筒闸体表面的速度随闸下开度加大，圆筒闸体迎水面中心线以上 0°＜ϕ＜75°区域，各点流速有增大的趋势，但增加幅值较小，最大幅值为 1.7 m/s；而 75°＜ϕ＜180°区域各点流速，随着闸下开度加大逐渐增大。在圆筒闸体最下方ϕ=180°附近，随着开度的加大流速逐渐减小。圆筒闸体背水面 180°＜ϕ＜225 区域，各点流速变化并不明显，但在圆筒闸体上、下过流流体交汇处（即ϕ=225°）附近，流速变化较复杂。在圆筒闸体背水面ϕ=270°附近的极大值点随着闸下开度加大，沿圆筒闸体壁面逐渐向闸顶方向移动。270°＜ϕ＜360°区域，随着闸下开度加大，圆筒闸体表面各点流速逐渐增大。

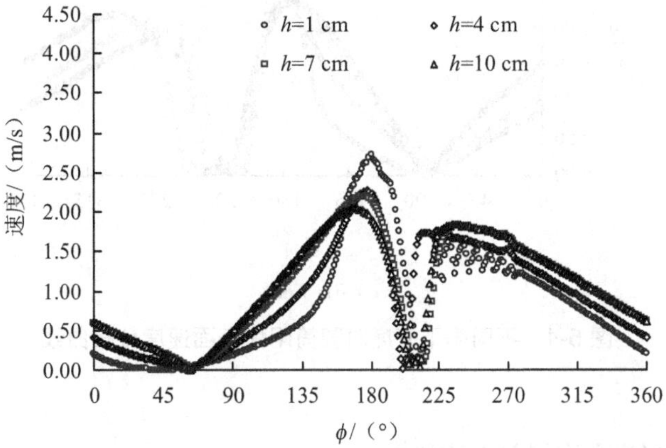

（a）$h1$=1 cm

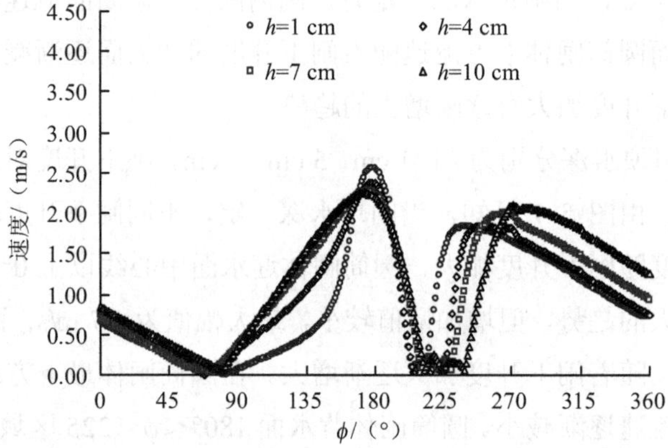

（b）$h1$=5 cm

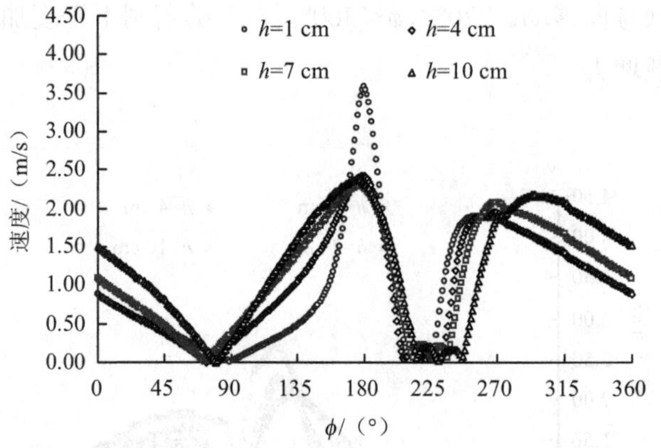

（c）$h1$=7 cm

图 5-4 不同闸下开度时圆筒闸体表面速度分布曲线

5.1.3 筒径对绕流流场速度影响

为了研究圆筒闸体直径对圆筒闸体水力学特性的影响，本书对筒径分别为 R=5 cm、10 cm 和 15 cm，不同闸下开度和不同闸顶水深工况进行模拟计算。图 5-5 为闸下开度 h=4 cm，闸顶水深 $h1$=5 cm 工况，筒径对横置圆筒闸体绕流流场的速度影响矢量图。图 5-5（a）、（b）、（c）分别为筒径 R=5 cm、10 cm 和 15 cm

时，水流绕流横置圆筒闸体的速度矢量图。

由图 5-5 可知，当闸下开度和闸顶水深一定时，闸筒下方和背水面流速随着筒径的增大而增加。可能是在闸下开度和闸顶水深不变的情况下，随着筒径的加大、上游来水量增大，圆筒闸体下方过流流速增大，圆筒闸体背水面流速也增大。

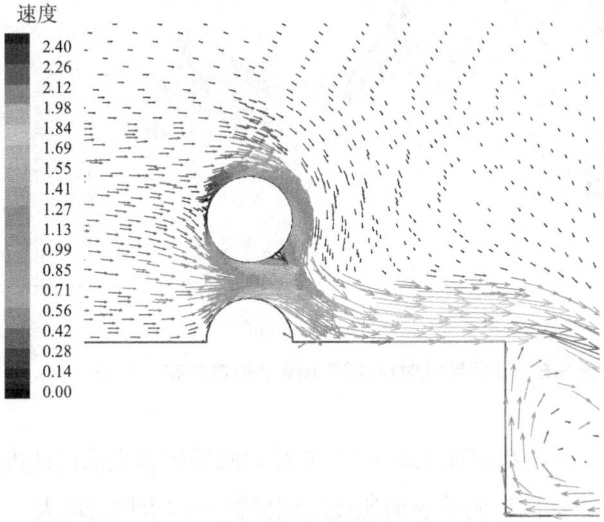

（a）R=5 cm

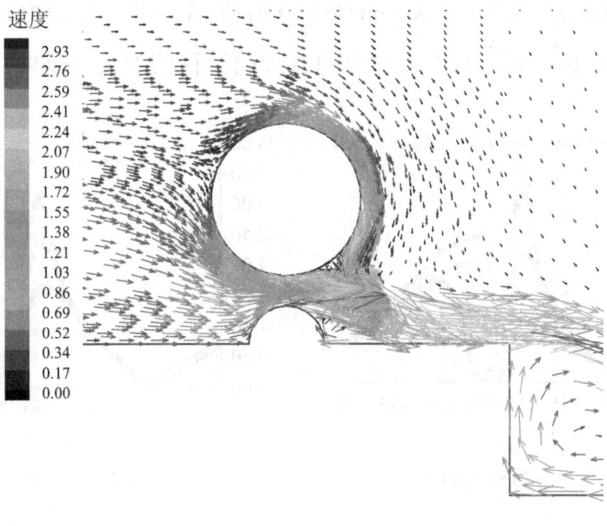

（b）R=10 cm

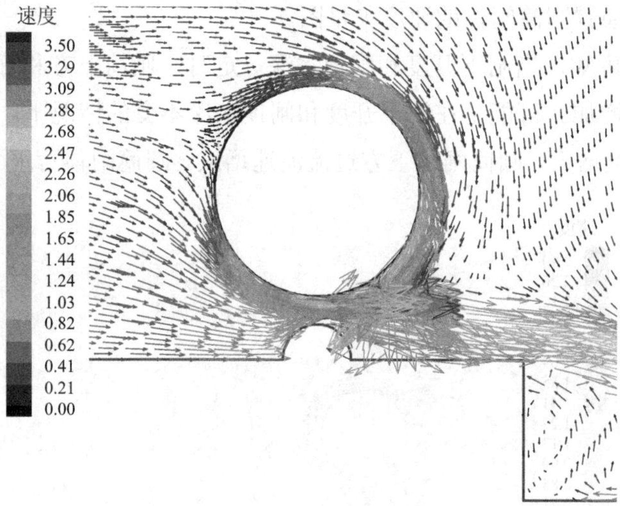

（c）R=15 cm

图 5-5 不同筒径时绕流流场速度矢量分布（单位：m/s）

图 5-6 为闸下开度和闸顶水深一定，筒径对圆筒闸体表面的速度分布影响曲线。由图 5-6 可以看出，圆筒闸体表面速度随圆筒筒径的增加而增大，在 0°＜ϕ＜135°区域流速变化不明显，最大变化值约为 1.0 m/s；而 135°＜ϕ＜360°区域各点流速随着圆筒筒径加大逐渐增大，ϕ=180°及ϕ=270°附近流速变化幅度相对较大，最小为 1.1 m/s，且ϕ=270°附近的极大值点随着圆筒筒径的加大沿壁面逐渐向下移动。

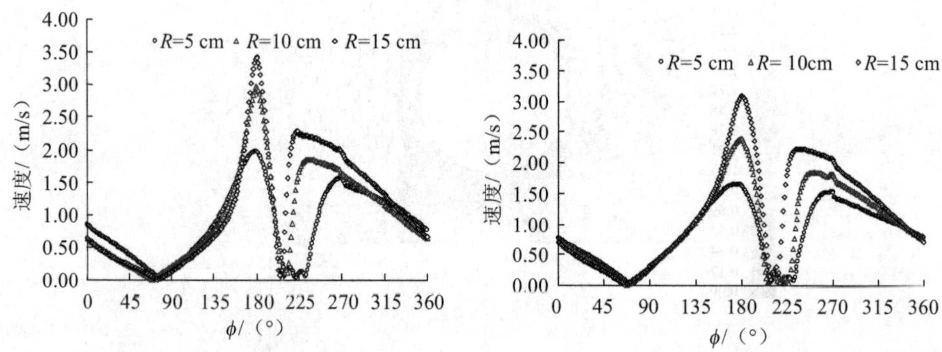

（a）h=2 cm，$h1$=5.0 cm　　（b）h=4 cm，$h1$=5 cm

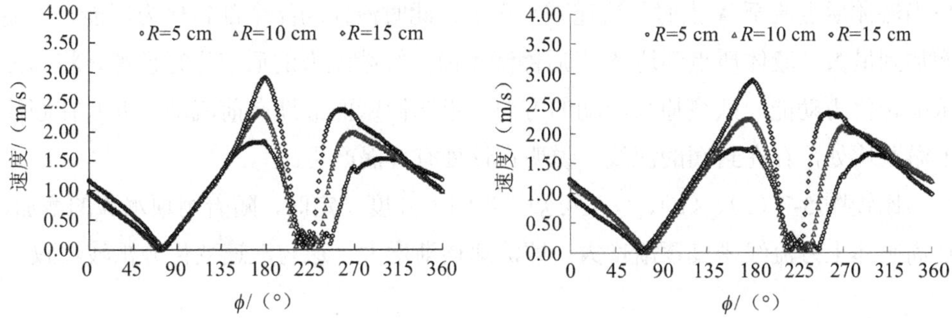

（c）h=6 cm，$h1$=7.0 cm　　（d）h=8 cm，$h1$=7.0 cm

图 5-6　筒径对圆筒闸体表面速度分布影响曲线

5.2　流线分布

5.2.1　闸顶水深对绕流流场流线分布影响

书中以圆筒筒径 R=10 cm，闸下开度 h=5 cm 工况进行分析，图 5-7 为闸顶水深对横置圆筒绕流流场流线分布的影响图。图 5-7（a）、（b）、（c）分别为闸下开度 h=5 cm，闸顶水深 $h1$=0 cm、3.44 cm 和 9.44 cm 时，水流绕流横置圆筒闸体的流线分布图，箭头表示流线方向。

由图 5-7 可知，在圆筒闸体上游，流线分布均匀且较稀疏，为均布速度入口条件，但在圆筒闸体附近，流体沿横置圆筒闸体表面绕流，在该区域流线变得弯曲多变且分布不均匀，在圆筒闸体上方和下方流线变得紧密。

在流体绕流横置圆筒闸体时，绕流流场内的流线分为两部分，一部分是从圆筒闸体顶部过流。液体由圆筒闸体上游沿流线从圆筒顶部流过，流线在圆筒闸体顶部变得密集，由于流速较小，流体沿圆筒闸体壁面流向下游。另一部分从圆筒闸体下方泄流，在该区域内，由于圆筒闸体的阻挡，流线在接近圆筒时都向下弯曲，水流沿壁面向下游流动。液体质点由上游沿流线流向圆筒闸体时，流线间距逐渐增大，在圆筒闸体上方和下方流线分布较密集，即该区域流速较快。在如图 5-7 所示 A 点附近，流速逐渐降低，由伯努利方程可知，压强逐渐增大。其原因是当液体质点流至 A 点时，流速减小至零，此时液体动能全部转化为压能，压能增加到最大。液体质点到达 A 点后停滞不前，继续流来的质点进行调整，将部分压能转化为动能，改变原来流动的方向，沿圆筒壁面继续向前流动。并且在圆筒下游跌坎处，存在封闭的流线，说明在该处有旋涡产生。

比较图 5-7（a）、（b）、（c）可知，当闸下开度一定时，随着闸顶水深的增加，圆筒闸体上方流线密度逐渐增大，即流速逐渐增大。这与流速变化分析较一致。

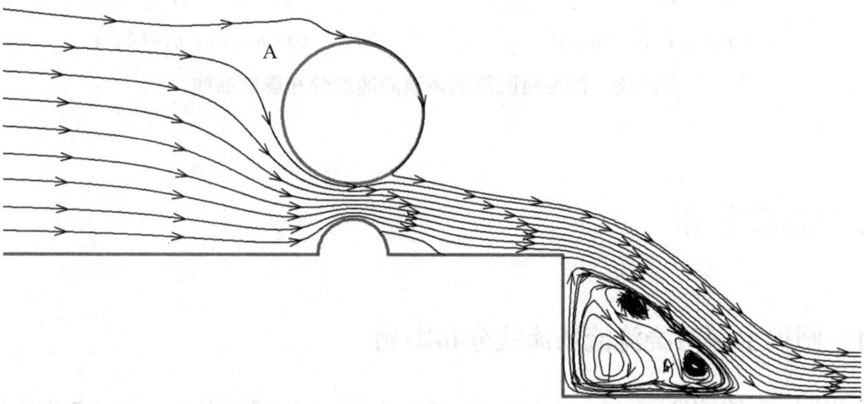

（a）$h1$=0.04 cm

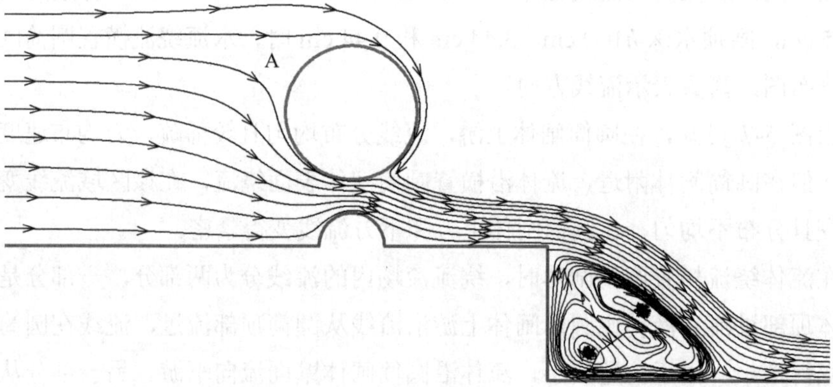

（b）$h1$–3.44 cm

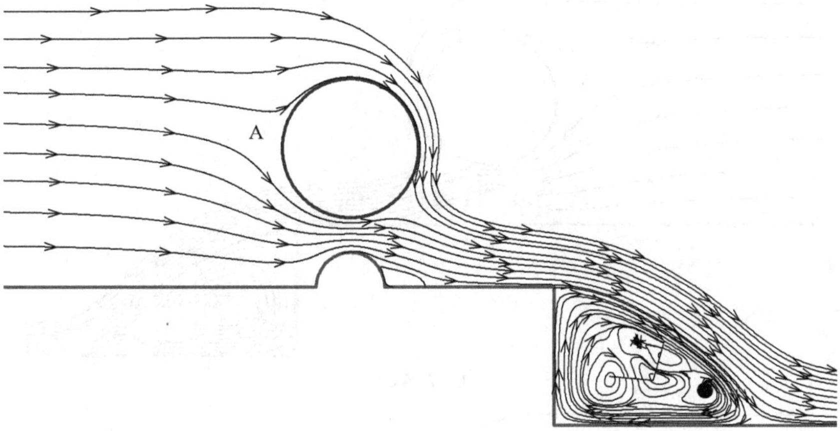

(c) $h1$=9.44 cm

图 5-7　不同闸顶水深时绕流流场流线分布

5.2.2　闸下开度对绕流流场的流线分布影响

图 5-8（a）、（b）、（c）为筒径 R=10 cm、闸顶水深 $h1$=5 cm 工况，闸下开度 h=1 cm、4 cm、10 cm 对横置圆筒闸体绕流流场的流线分布影响图。

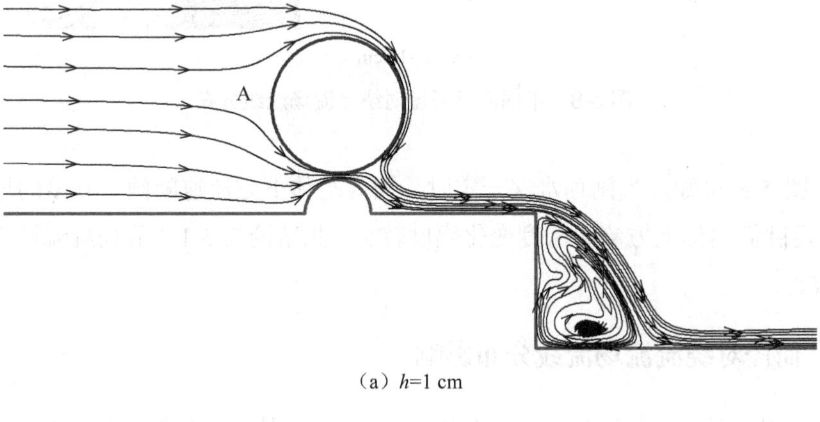

(a) h=1 cm

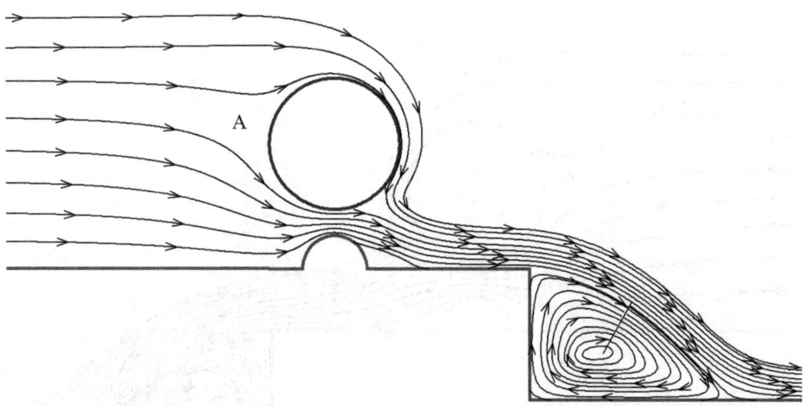

（b）h=4 cm

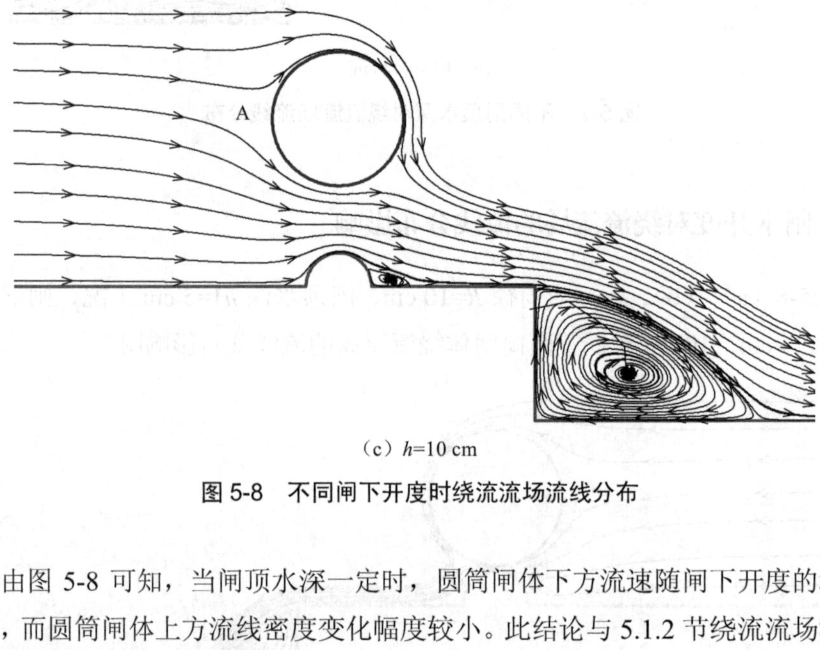

（c）h=10 cm

图 5-8 不同闸下开度时绕流流场流线分布

由图 5-8 可知，当闸顶水深一定时，圆筒闸体下方流速随闸下开度的增加而增大，而圆筒闸体上方流线密度变化幅度较小。此结论与 5.1.2 节绕流流场流速分析一致。

5.2.3 筒径对绕流流场流线分布影响

书中以闸顶水深 $h1$=4 cm、闸下开度 h=5 cm 工况进行分析，图 5-9 为滚筒闸体筒径对横置圆筒闸体绕流流场流线分布影响图。图 5-9（a）、（b）、（c）分别为圆筒半径 R=5 cm、10 cm 和 15 cm 时，水流绕流横置圆筒闸体的流线分布图。

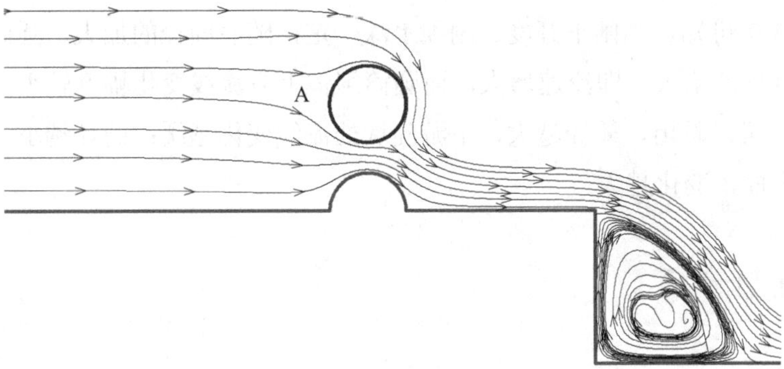

（a）R=5 cm

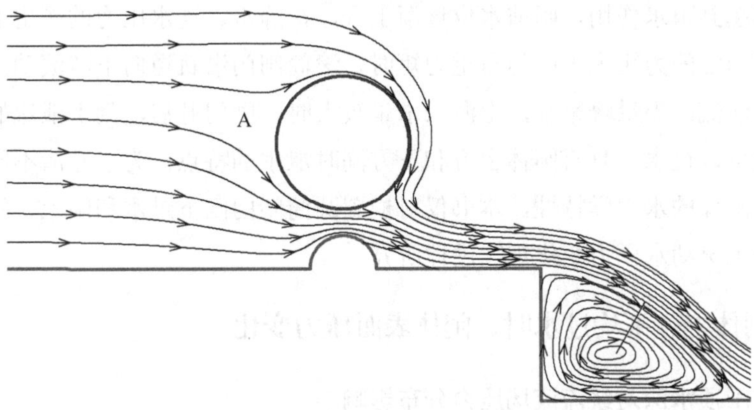

（b）R=10 cm

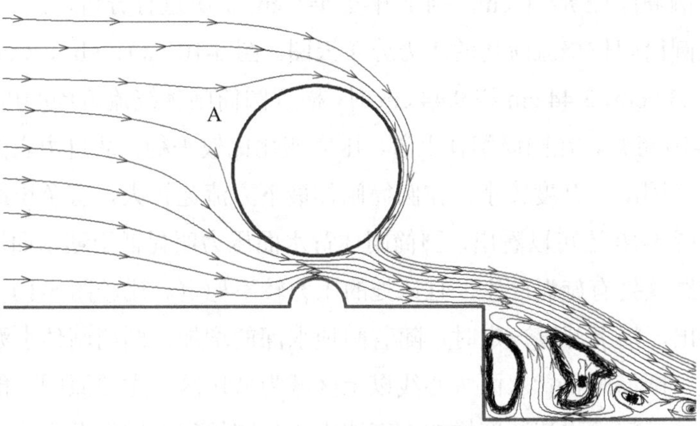

（c）R=15 cm

图 5-9　不同圆筒筒径时绕流流场流线分布

由图 5-9 可知，当闸下开度、闸顶水深一定，随着筒径的加大，圆筒闸体下方流线密度逐渐增大，即流速增大，而圆筒闸体上方流线变化幅度较小。另外，由图 5-9 还可以看出，筒径越大，下游陡坎处流线变化越缓；筒径越小，下游陡坎处流线弯曲，变化越大。

5.3 压力分布

圆筒闸体开启的动力是作用在圆筒表面的静水、动水压力，上游来水时，关闭的闸门起到阻水作用，闸前水位逐渐上升，在静水、动水压力的作用下，作用在滚筒闸门上的力矩大于闸门自重力矩时，滚筒闸门沿轨道向下游滚动，水流从闸门下方泄流。当洪峰来临，上游来水量较大时，闸门开启，闸下泄流的同时，闸上依然可以过水，具有闸体上方和下方同时泄水的特点。为了厘清不同工作状态下圆筒闸体的水力学特性，本书仅对横置圆筒闸门闸下过水和闸上、闸下同时过水两种工况动水压力变化规律进行研究。

5.3.1 闸体上、下均过水时，闸体表面压力变化

5.3.1.1 闸顶水深对绕流流场压力分布影响

书中以圆筒筒径 R=10 cm，闸下开度 h=5 cm 工况进行分析，图 5-10 为闸顶水深对横置圆筒闸体绕流流场的压力分布云图。图 5-10（a）、（b）、（c）分别为闸顶水深 $h1$=1.34 cm、3.44 cm 和 9.44 cm 时，横置圆筒闸体绕流流场的压力分布图。

由图 5-10 可知，在圆筒闸体上游，压力变化比较平稳，从自由表面到渠底压力逐渐增大。因闸下开度较小，在圆筒闸体最下方流速较大，有负压产生，形成负压区。由图 5-10 还可以看出，圆筒闸体背水面压力明显低于迎水面压力。在圆筒闸体下游跌坎处有旋涡产生，且该处的压力较不稳定。比较图 5-10（a）、（b）、（c）可以看出，闸下开度一定时，随着闸顶水深的增加，圆筒闸体上游断面水压力逐渐增大，圆筒闸体背水面中心线以上区域为低压区。主要原因可能是随着闸顶水深的增加，闸顶水流速度增加，高速水流与圆筒闸体壁面发生分离，因此产生低压区。

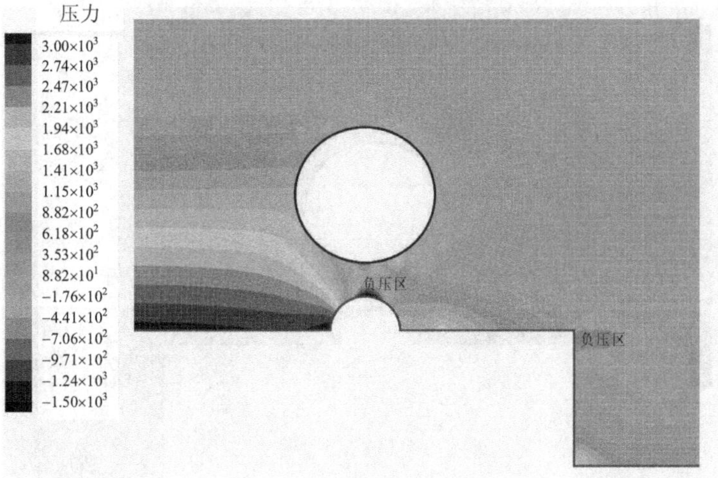

（a）$h1$=1.34 cm

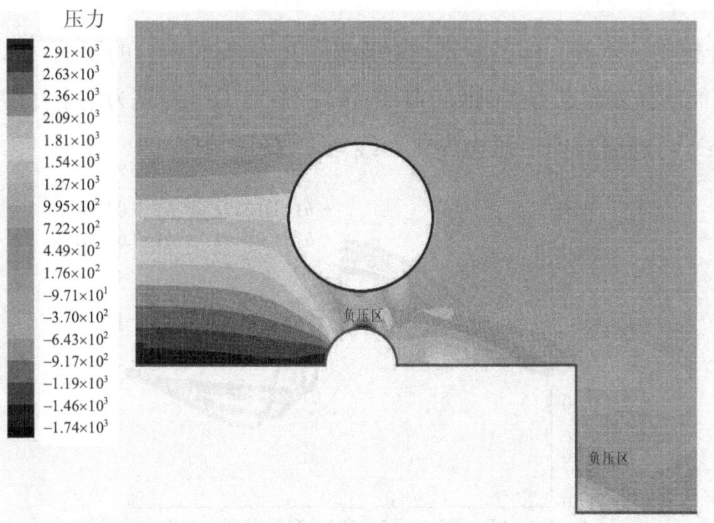

（b）$h1$=3.44 cm

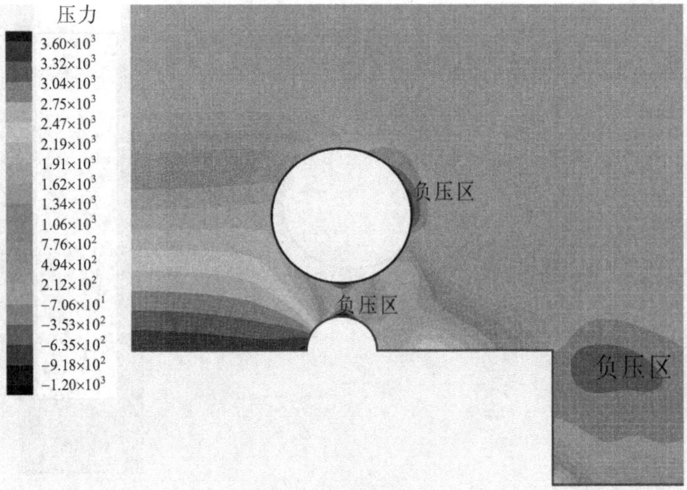

（c）$h1$=9.44 cm

图 5-10 不同闸顶水深时绕流流场压力分布云图（单位：Pa）

为了分析闸顶水深，即上游水深对该圆筒闸体表面压力的影响，图 5-11 为闸顶水深对圆筒闸体表面压力影响图，其中（a）、（b）、（c）分别为闸下开度（h=0 cm、3 cm、9 cm）对圆筒表面的压力变化曲线。

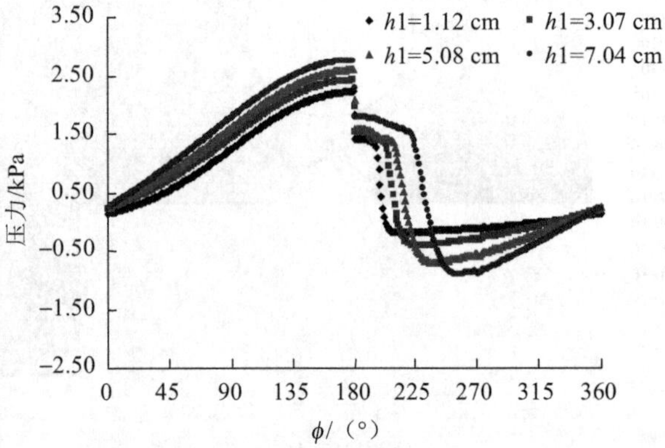

（a）h=0 cm

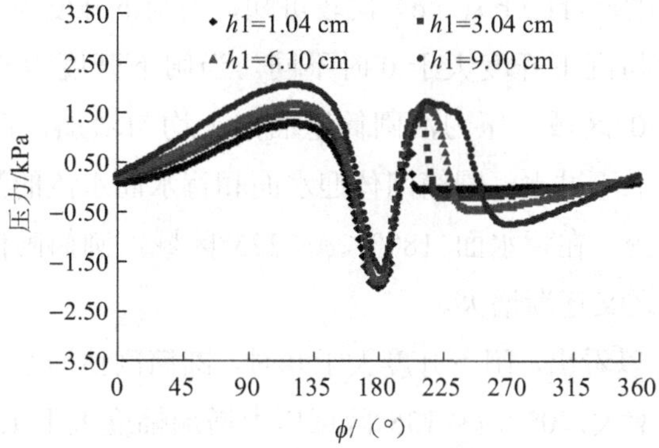

（b）h=3 cm

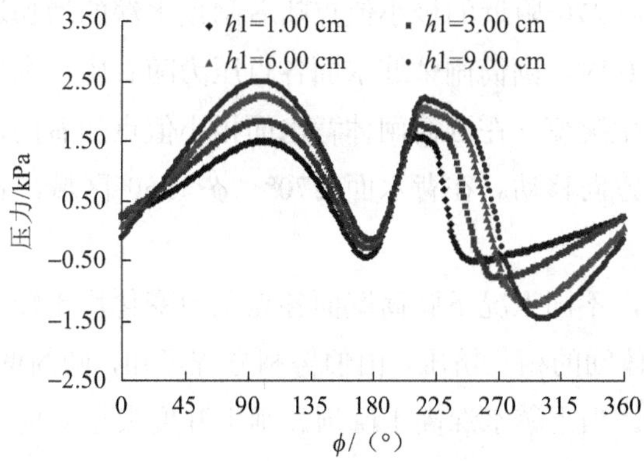

（c）h=9 cm

图 5-11　闸顶水深对圆筒表面压力影响曲线

由图 5-11（b）、（c）可知，当闸下开度 h 大于 0 时，闸筒表面压力大致呈先增大后减小的“M”形趋势。在圆筒闸体迎水面 0°＜ϕ＜135°区域，圆筒闸体表面各点压力沿圆筒壁面向下逐渐增大，在ϕ=135°附近，压力达最大，最大值为 2.5 kPa，随后压力沿圆筒壁面向下逐渐减小，在ϕ=180°附近压力减小到最小，最小值为 −4.3 kPa，原因可能是闸下开度较小时，过流流速较大，圆筒闸体壁面的弯曲使流体与壁面发生分离，在圆筒闸体下方形成负压区。在背水面 180°＜ϕ＜225°区域，各点压力沿圆筒壁面又迅速增大，ϕ=225°附近压力再次达到极大值。在 225°＜ϕ＜360°区域，各点压力沿圆筒壁面向上先减小后增大。

图 5-11（a）与图 5-11（b）、（c）比较可知，当闸下开度为 0 时，各工况圆筒表面压力变化规律与闸下开度大于 0 时不同。当闸下开度为 0 时，在圆筒闸体迎水面 $0°<\phi<180°$区域，压力沿圆筒壁面向下均匀增加，在圆筒闸体最下方$\phi=180°$处，由于闸下不过水，圆筒闸体迎水面和背水面水流的共同作用，使该点处动水压力发生突变。在背水面 $180°<\phi<225°$区域，圆筒闸体表面各点压力迅速降到极小值，随之又逐渐增大。

由图 5-11 还可以看出，闸下开度大于 0 时，圆筒闸体迎水面各点压力随着筒顶水深的增加逐渐增大，$0°<\phi<135°$区域压力增加幅度大于 $135°<\phi<225°$区域压力增加幅度。在圆筒闸体背水面 $225°<\phi<360°$区域，各点压力随筒顶水深的增加逐渐减小，在$\phi=270°$附近的极小值点随着闸顶水深的增加逐渐向闸顶方向移动。当闸下开度为 0 时，圆筒闸体迎水面各点压力随着闸顶水深的增加而增大，$\phi=180°$处水压力产生突变。在圆筒闸体背水面极小值点随着闸顶水深的增加沿圆筒壁面逐渐向闸顶方向移动。在背水面 $270°<\phi<360°$区域，各点压力随闸顶水深的增加逐渐减小。

综上分析可知，不同工况下圆筒壁面各点压力变化均比较复杂，流体绕流横置圆筒闸体时，流体间的相互挤压，由伯努利方程可知，圆筒壁面流速发生变化，压力也将发生变化。当上游水深高于闸顶、闸下开度大于 0 时，闸下、闸顶同时过流，过流的流体在背水面汇合，圆筒闸体背水面的压力变得更加复杂。

5.3.1.2 闸下开度对绕流流场压力分布影响

书中以圆筒闸体筒径 R=10 cm，闸顶水深为约 5 cm 工况进行分析，图 5-12 为闸下开度对横置圆筒绕流流场的压力分布影响图。图 5-12（a）、（b）、（c）、（d）分别为闸下开度 h=1 cm、4 cm、7 cm 和 10 cm 时，横置圆筒压力分布云图。

由图 5-12 可以看出，当闸顶水深一定，随着闸下开度的加大，圆筒闸体上游断面压力变化并不明显，但在圆筒闸体迎水面中心线以下区域压力随着闸下开度的增加逐渐减小。在圆筒最下方的负压区，随着闸下开度的加大，负压值逐渐减小。圆筒闸体背水面的低压区随着闸下开度的加大而逐渐扩大，其压力值逐渐减小。

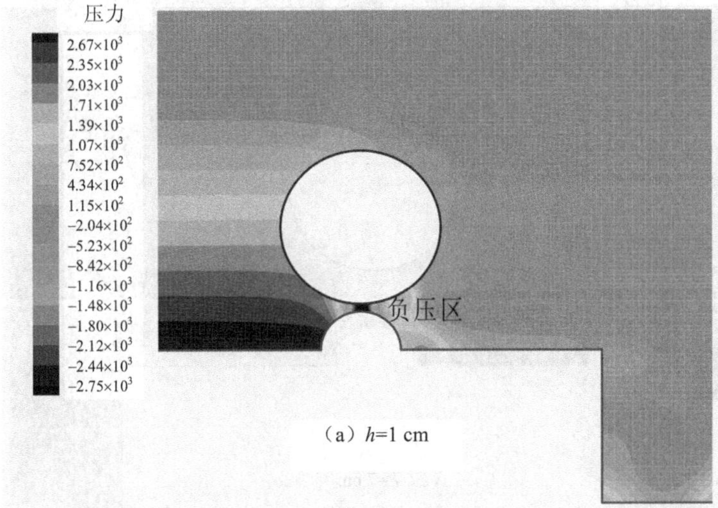
压力
2.67×10³
2.35×10³
2.03×10³
1.71×10³
1.39×10³
1.07×10³
7.52×10²
4.34×10²
1.15×10²
−2.04×10²
−5.23×10²
−8.42×10²
−1.16×10³
−1.48×10³
−1.80×10³
−2.12×10³
−2.44×10³
−2.75×10³
负压区

（a）h=1 cm

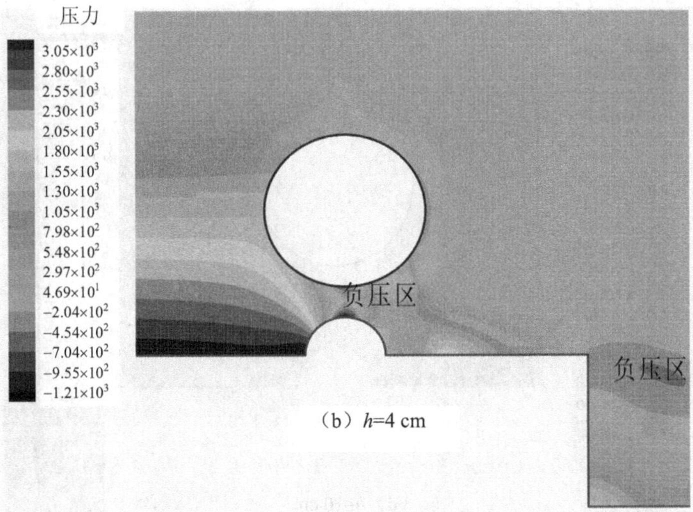
压力
3.05×10³
2.80×10³
2.55×10³
2.30×10³
2.05×10³
1.80×10³
1.55×10³
1.30×10³
1.05×10³
7.98×10²
5.48×10²
2.97×10²
4.69×10¹
−2.04×10²
−4.54×10²
−7.04×10²
−9.55×10²
−1.21×10³
负压区
负压区

（b）h=4 cm

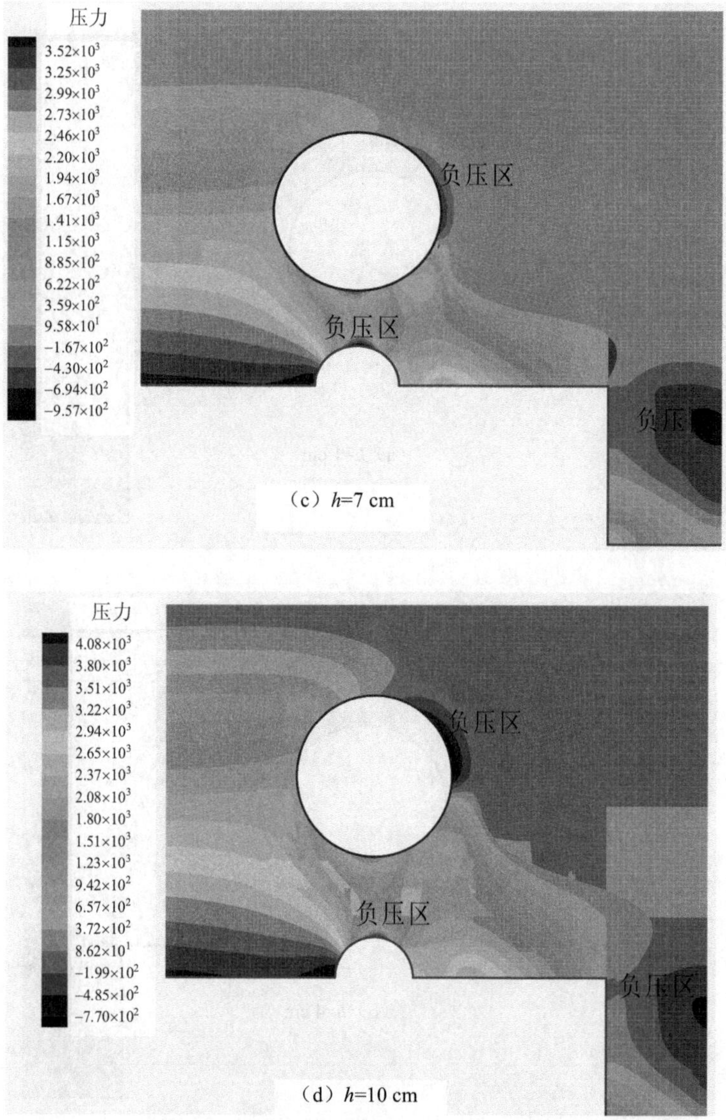

图 5-12 闸下开度对绕流流场压力分布影响云图（单位：Pa）

图 5-13 为闸下开度对圆筒闸体表面动水压力影响图，图 5-13（a）、（b）分别为闸顶水深 $h1$=1 cm、7 cm，不同闸下开度时的圆筒闸体表面动水压力变化曲线。

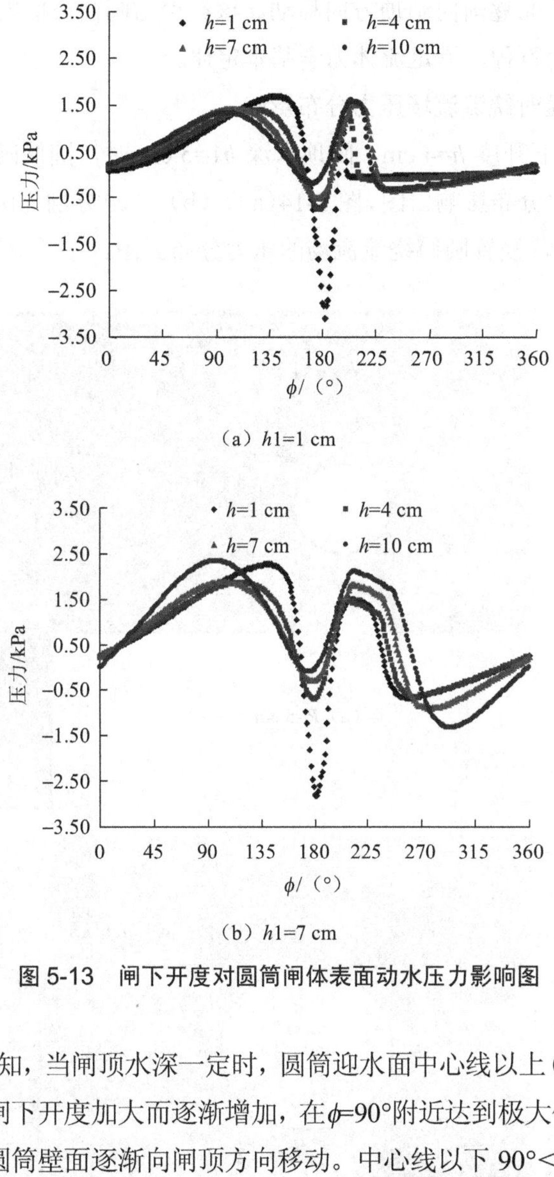

图 5-13　闸下开度对圆筒闸体表面动水压力影响图

由图 5-13 可知，当闸顶水深一定时，圆筒迎水面中心线以上 0°＜ϕ＜90°区域各点动水压力随着闸下开度加大而逐渐增加，在ϕ=90°附近达到极大值，且极大值点随着开度的加大沿圆筒壁面逐渐向闸顶方向移动。中心线以下 90°＜ϕ＜180°区域各点动水压力随着闸下开度加大而逐渐减小。在圆筒闸体背水面 180°＜ϕ＜225°区域负压值随着闸下开度增加而减小，在 270°＜ϕ＜360°区域，各点压力随着闸下开度加大而逐渐增大，随着闸下开度的增加，拐点沿背水面逐渐向 360°处移动，且极值点负压值呈增大趋势。在圆筒闸体背水面ϕ=225°附近的极大值点，随着闸下开度加大，沿圆筒壁面逐渐向闸顶方向移动。该结论与圆筒表面的速度变化规律相吻合，符合伯努利方程，满足流体力学基本定律。

5.3.1.3 闸筒筒径对绕流流场压力分布影响

图 5-14 为闸下开度 h=4 cm，闸顶水深 $h1$=5 cm 时，圆筒闸体筒径对横置圆筒绕流流场的压力分布影响云图。图 5-14（a）、（b）、（c）分别为圆筒筒径 R=5 cm、10 cm 和 15 cm 时，横置圆筒绕流流场的压力分布云图。

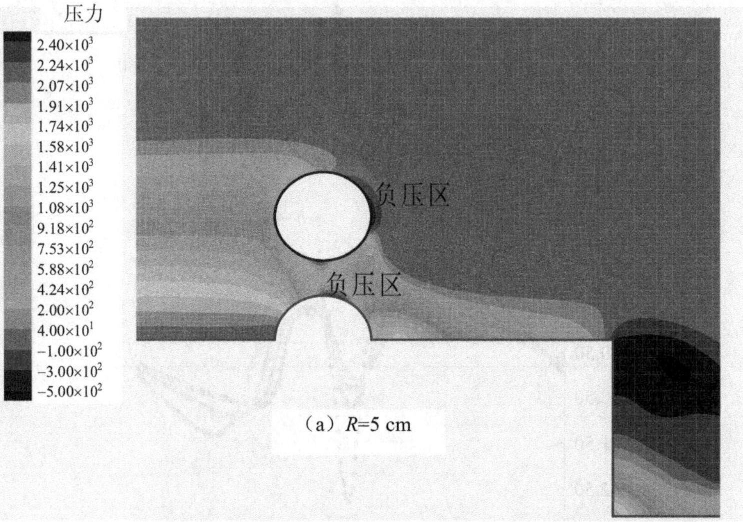

（a）R=5 cm

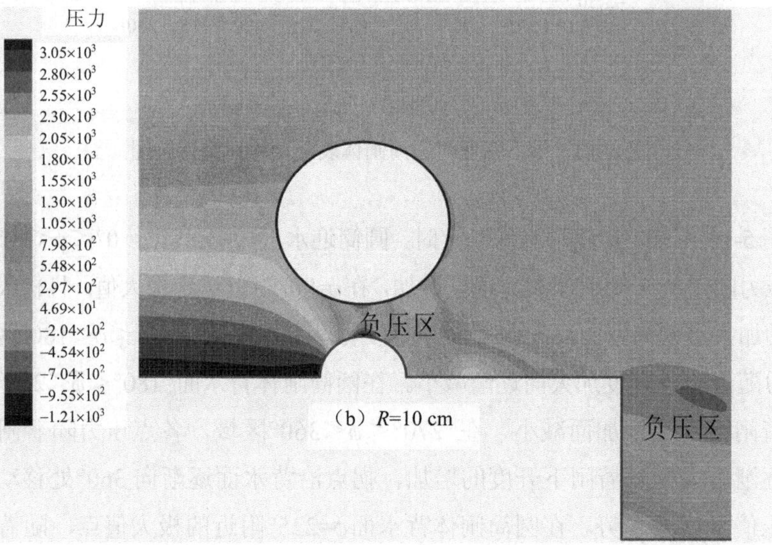

（b）R=10 cm

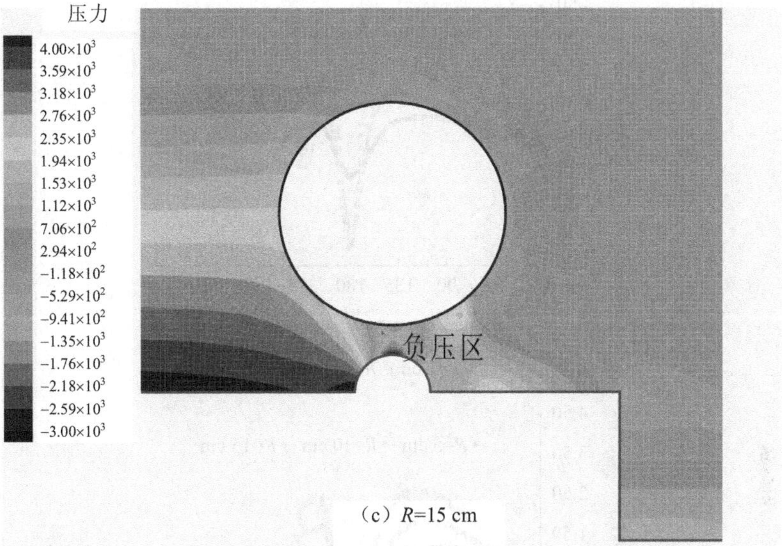

（c）R=15 cm

图 5-14　不同圆筒筒径时流场压力分布云图（单位：Pa）

由图 5-14 可以看出，随着圆筒筒径的加大，圆筒上游断面的水压力在逐渐增大，当闸下开度和闸顶水深一定时，随着筒径的加大，上游水深逐渐增大，压力增大。圆筒闸体下方形成的负压随着圆筒筒径的加大也逐渐加大，其背水面形成的低压区，随着圆筒筒径的加大压力逐渐增大。

图 5-15 为圆筒闸体筒径对圆筒闸体表面的压力影响曲线，由图 5-15 可知，闸顶水深和闸下开度一定，圆筒闸体表面中心线以上与铅直方向同一夹角ϕ处，各点压力随着圆筒筒径的加大均逐渐增大，而在圆筒中心线以下同一夹角ϕ处，各点压力随着筒径的加大而逐渐减小。因为闸顶水深和开度一定时，筒径加大，圆筒闸体下方过流量增加，即闸下流速加大，流体与壁面发生分离，压力降低，负压值增大。在圆筒背水面 220°＜ϕ＜260°区域，圆筒闸体表面各点动水压力随着筒径的加大而逐渐减小，可能是由闸顶部和闸下过流的流体在该处汇合，筒径越大，闸下方过流流体的流速就越大，汇合时的流速就也就越大，故该区域压力减小。圆筒闸体表面其他区域的动水压力均随着筒径的加大而增加。

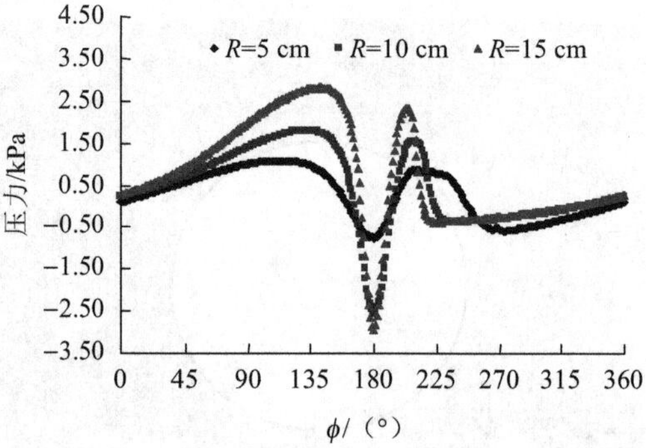

（a）h=2 cm，$h1$=5.0 cm

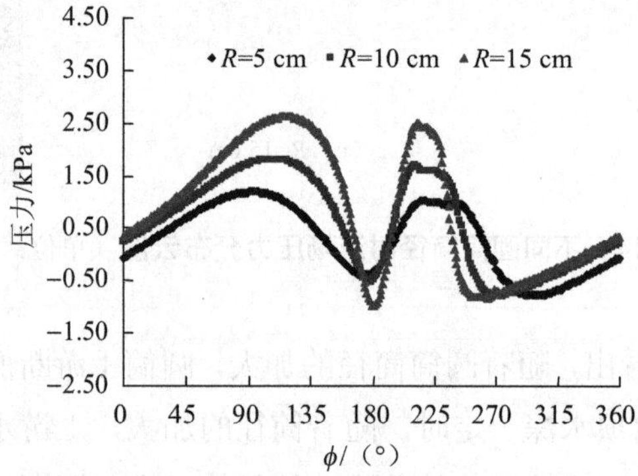

（c）h=6 cm，$h1$=7.0 cm

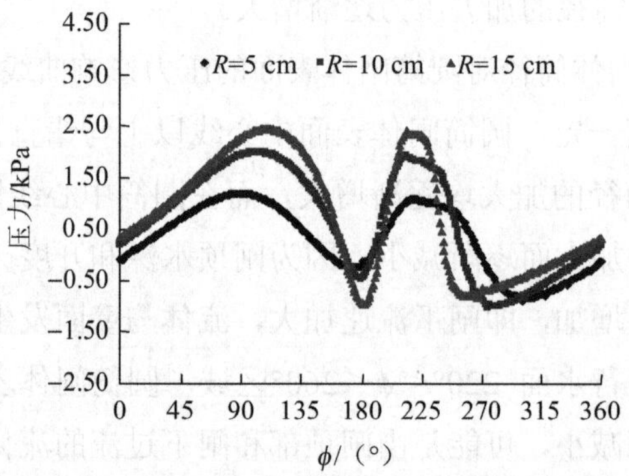

（d）h=8 cm，$h1$=7.0 cm

图 5-15　筒径对圆筒表面动水压力影响图

5.3.2　仅闸下过水时，圆筒表面压力变化

5.3.2.1　上游水深对圆筒闸体表面动水压力影响

上游水深在闸顶以下，仅闸下过流工况，分析上游水深对圆筒表面动水压力的影响，图 5-16（a）、（b）、（c）分别为筒径 R=10 cm，闸下开度 h=1 cm、6 cm、8 cm，上游水深对圆筒表面的压力影响图。由图 5-16 可知，当上游水深在闸顶以下，闸下开度一定时，水面以上各点压力值均为 0，水面以下圆筒闸体迎水面各点沿圆筒壁面向下逐渐增大，在ϕ=135°附近达最大，随后各点动水压力值沿壁面迅速降低，在圆筒闸体最下方ϕ=180°处，压力减小到最小，且为负压，在圆筒闸体背水面压力又迅速增大，但圆筒背水面以下各点动水压力均为 0。

由图 5-16 还可以看出，当闸下开度一定，圆筒迎水面 0°＜ϕ＜135°区域各点动水压力随着上游水深的增加逐渐增大，圆筒闸体下方 135°＜ϕ＜225°区域各点负压值值逐渐增大，可能是仅闸下过水时，随着水位的升高，闸下流速加大，由于壁面的弯曲，流体将与壁面发生分离，负压值增大，负压区扩大。与 5.3.1.1 节所得结论相比，在相同开度下，仅闸下过水时，圆筒闸体下方负压值大于圆筒上下均过水时圆筒下方负压值。可能是仅闸下过水时，圆筒闸体下方流速大于上下均过水时闸下流速，负压值增大。

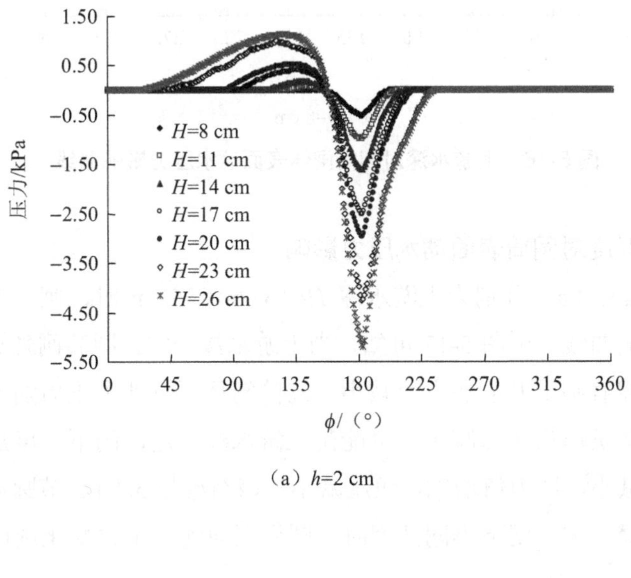

（a）h=2 cm

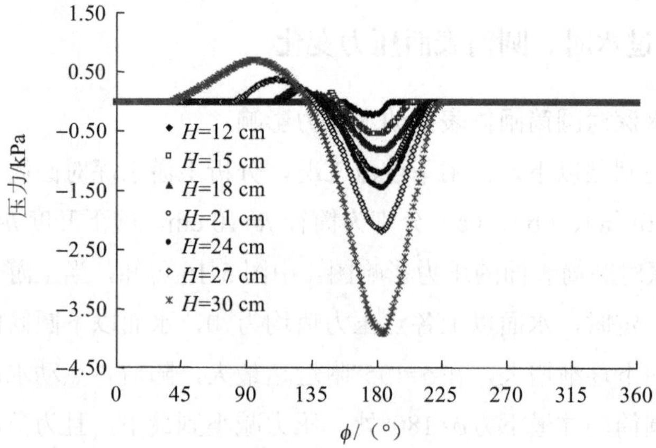

（b）h=6 cm

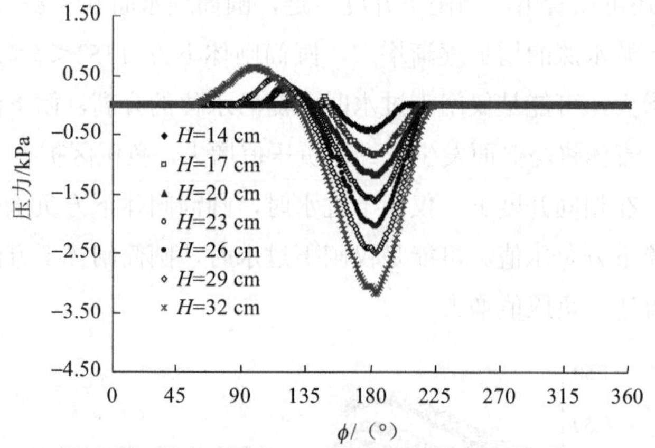

（c）h=8 cm

图 5-16 上游水深对圆筒闸体表面动水压力影响曲线

5.3.2.2 闸下开度对圆筒表面动水压力影响

图 5-17（a）、（b）分别为上游水深 H=16 cm、25 cm 时，闸下开度对圆筒表面动水压力影响曲线。由图 5-17 可知，当上游水深一定，圆筒闸体迎水面，水位以下各点压力随着闸下开度加大而减小，圆筒闸体下方动水压力随着闸下开度加大压力增大，即负压值逐渐减小。可能是上游水深一定，闸下开度加大，圆筒闸体下方流速将减小，压力值增加，负压减小。该结论与 5.3.1.2 节圆筒闸体上下均过水，上游水深一定，闸下不同开度时，圆筒表面动水压力变化规律一致。

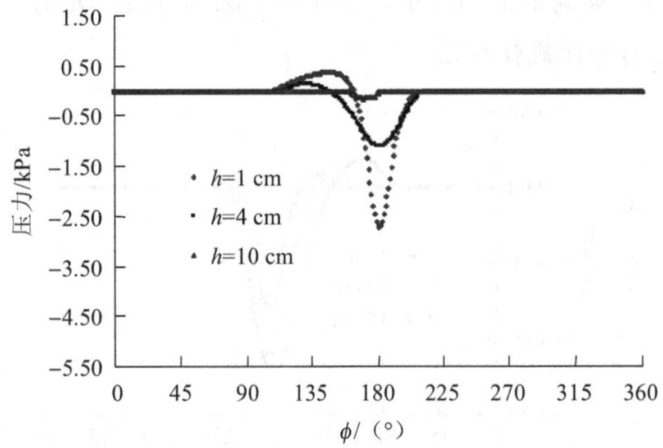

（a）$h1$=16 cm

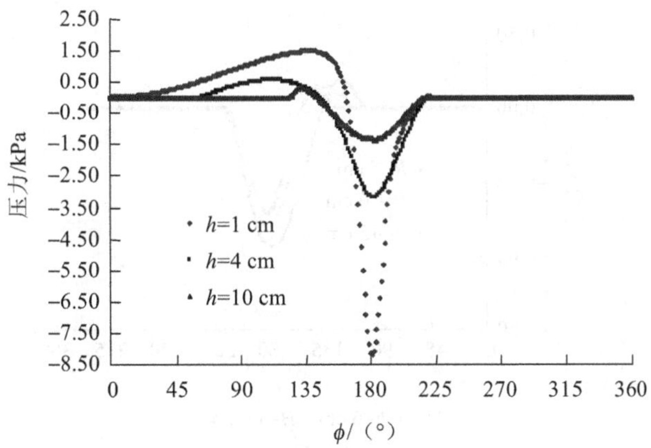

（b）$h1$=25 cm

图 5-17　不同闸下开度时的圆筒闸体表面压力变化曲线

5.3.2.3　圆筒闸体筒径对闸体表面动水压力影响

图 5-18（a）、（b）、（c）分别为闸下开度 h=4 cm、6 cm、8 cm，上游水深分别为 H=16 cm、18 cm、20 cm 时，圆筒筒径对闸体表面动水压力的变化曲线。由图 5-18 可知，闸下开度和上游水深一定，圆筒闸体迎水面与铅直向上方向成同一夹角ϕ处各点动水压力随着筒径的增大而减小，圆筒闸体下方同一夹角ϕ处，随着筒径加大负压值逐渐增大。仅闸下过水时，水位和开度一定，随着筒径的加大，闸体壅水能力增强，上游水深增加，圆筒闸体下方压力值增加，即负压值减小。该

结论与 5.3.1.3 节，圆筒上下均过水，闸筒顶水深和开度一定时，圆筒闸体中心线以下区域动水压力变化规律相反。

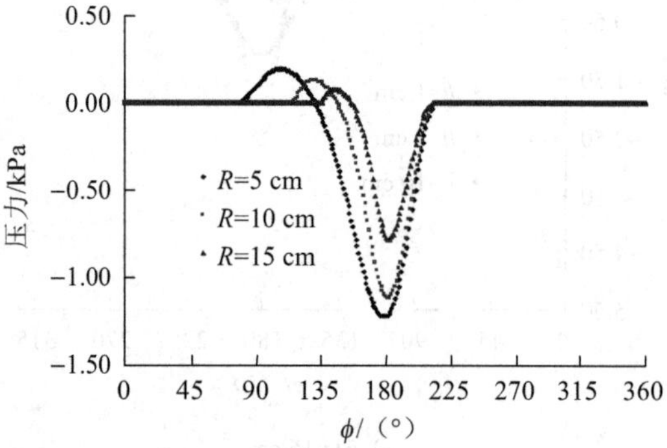

（a）h=4 cm，H=16 cm

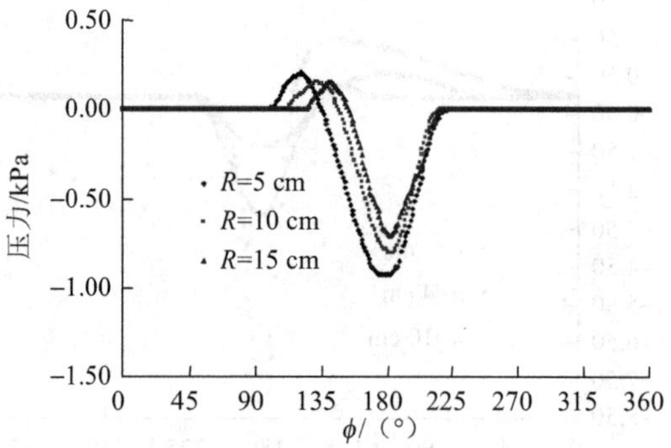

（b）h=6 cm，H=18 cm

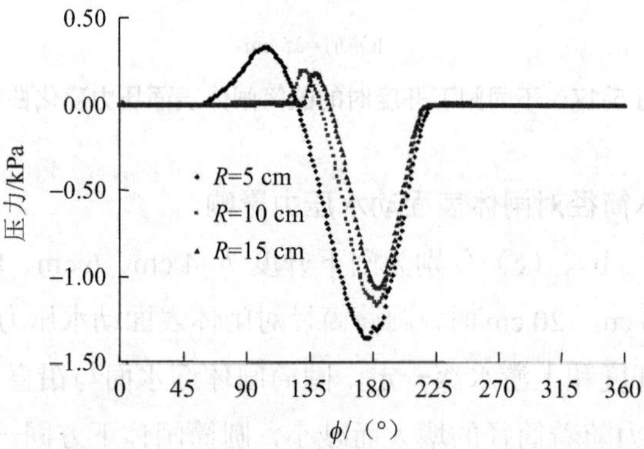

（c）h=8 cm，H=20 cm

图 5-18 滚筒闸体筒径对闸体表面动水压力影响曲线

5.4 本章小结

本章利用第 4 章所验证的横置圆筒闸体绕流流场的数学模型，对现有条件物理模型不便完成的工况进行了进一步的数值模拟研究，得到了不同工况下，水流中横置圆筒的水力学特性。

①通过对绕流流场速度场变化可知，当闸下开度大于 0 时，圆筒闸体表面各点流速变化趋势大致呈“减小—增大—减小—增大”的“W”形趋势。在ϕ=75°附近流速为极小值点，极值趋近于 0；在圆筒闸体最下方ϕ=180°附近流速达到最大值；在圆筒闸体上、下过流流体交汇点ϕ=225°附近流速再次减小到极小值，且该点附近流速变化较复杂，与模型试验结果相吻合；随着ϕ角的增加，流速又逐渐增大，在ϕ=270°附近达到极大值，随之又呈减小趋势。

当闸下开度为 0 时，0°＜ϕ＜90°区域流速呈减小趋势，在 90°＜ϕ＜180°闸下不过水，流速为 0，与理论相吻合。225°＜ϕ＜360°区域流速沿壁面向上先增大后减小，在ϕ=270°附近达到最大值。

②在圆筒闸体上游，流线分布稀疏且均匀，流速较小，在圆筒闸体附近，流体沿横置圆筒闸体绕流，流线弯曲多变，圆筒闸体上、下方流线变密，流速增大。圆筒闸体下游跌坎处有涡产生，随着闸下开度加大，旋涡区变长。

③当闸下开度大于 0 时，闸体表面动水压力呈先增大后减小的“M”形趋势，ϕ=135°附近压力达最大值，随之压力逐渐减小，在圆筒闸体最下方ϕ=180°附近，压力减小到极小值，继而压力又迅速增加，ϕ=225°附近压力再次达到极大值，225°＜ϕ＜360°区域，压力呈先增大后减小趋势，但增幅较小。当闸下开度为 0 时，圆筒闸体迎水面 0°＜ϕ＜90°区域各点压力沿圆筒壁面向下逐渐增大，ϕ=180°处动水压力产生突变。

④当圆筒闸体上下均过水时，闸体迎水面动水压力随闸顶水深的增加而增大；随着闸下开度加大，圆筒迎水面中心线以上区域各点动水压力逐渐增加，而中心线以下区域各点动水压力，随着开度的加大逐渐减小；随着圆筒闸体筒径的增加，中心线以上区域各点压力均逐渐增大，中心线以下区域，随着筒径的增大逐渐减小。

⑤仅闸下过水时，随着上游水深的增加，圆筒闸体迎水面 $0°<\phi<135°$区域各点动水压力逐渐增大；圆筒下方 $135°<\phi<225°$区域各点压力逐渐减小。圆筒闸体迎水面水位以下各点压力随着闸下开度加大逐渐减小，圆筒闸体下方各点动水压力逐渐增大；圆筒迎水面各点动水压力随着筒径的加大逐渐减小，圆筒闸体下方各点动水压力逐渐增大。

以上结论均符合流体力学基本定理，为浊水资源的高效利用、自动滚筒闸门的深入研究提供了理论依据。

第 6 章　浊水资源取水建筑物的闸门动水压力计算

闸体开启的动力是作用在横置圆筒闸体上的合力，因此，对横置圆筒闸体所受合力进行分析是掌握滚筒闸体自动启闭的关键。流体绕经圆筒闸体时，作用在圆筒上的力，除了法向压力外，还有流体黏性作用引起的切向力，即摩擦阻力。沿圆筒闸体表面将单位面积上的切应力和法向压应力积分，得到一合力矢量，如图 6-1 所示。该合力可分解为平行于来流方向的绕流阻力 F_D，即 x 方向的分力，和垂直于来流方向的升力 F_L，即 y 方向的分力。绕流阻力 F_D 是由流体黏性引起的切向应力，即摩擦阻力 F_{Df} 和压差阻力 F_{Dp} 两部分组成，同理，升力 F_L 也是由 F_{Lf} 和 F_{Lp} 两部分组成，其表达式如下：

$$F_D = (F_D)_f + (F_D)_p \tag{6-1}$$

$$(F_D)_f = \int_A \tau \cos\varphi \mathrm{d}A \tag{6-2}$$

$$(F_D)_p = \int_A p \sin s\varphi \mathrm{d}A \tag{6-3}$$

$$F_L = (F_L)_f + (F_L)_p \tag{6-4}$$

$$(F_L)_f = \int_A \tau \sin\varphi \mathrm{d}A \tag{6-5}$$

$$(F_L)_P = -\int_A p \cos\varphi \mathrm{d}A \tag{6-6}$$

式中，A 为圆筒的总表面积；φ 为圆筒表面上微元面积 dA 的法线与铅直向上方向的夹角；τ 为单位面积切应力。

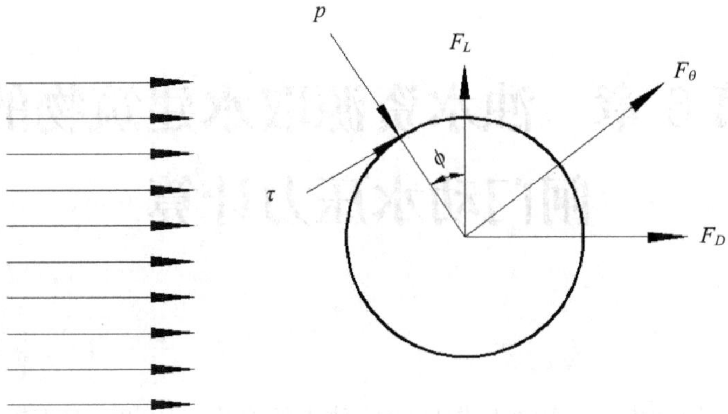

图 6-1 水流中圆筒所受绕流阻力和升力示意图

水流作用于横置圆筒闸体表面的作用力对水力自动滚筒闸门运行至关重要。但目前关于横置圆筒表面动水压力的研究还不够深入。本书以水流中横置圆筒闸体为研究对象，在数值模拟计算的基础上，对绕流流态下横置圆筒闸体的受力情况进行分析。基于二维模型，计算值均为单位长度圆筒受力。表 6-1 为部分工况圆筒闸体受力计算值。

表 6-1 部分工况圆筒所受绕流阻力和升力

筒径/m	闸下开度/m	上游水深/m	阻力/N		升力/N	
			$(F_D)_p$	$(F_D)_f$	$(F_L)_p$	$(F_L)_f$
0.1	0.02	0.27	118.75	1.06	−15.69	−0.36
0.1	0.02	0.28	171.11	0.76	20.29	−0.24
0.1	0.02	0.29	185.84	0.75	25.11	−0.24
0.1	0.02	0.3	214.15	0.67	30.53	−0.19
0.1	0.02	0.31	230.34	0.67	36.73	−0.19
0.1	0.02	0.32	241.57	0.72	47.78	−0.2
0.1	0.02	0.33	256.75	0.77	43.11	−0.2

筒径/m	闸下开度/m	上游水深/m	阻力/N		升力/N	
			$(F_D)_p$	$(F_D)_f$	$(F_L)_p$	$(F_L)_f$
0.1	0.02	0.34	274.31	0.79	50.82	−0.18
0.05	0.04	0.2	41.25	0.34	7.69	−0.17
0.05	0.04	0.22	57.61	0.38	11.16	−0.17
0.05	0.04	0.24	67.88	0.41	22.62	−0.15
0.05	0.04	0.26	80.07	0.46	42.21	−0.14
0.05	0.04	0.28	86.97	0.5	53.96	−0.13
0.15	0.06	0.12	0.91	0.02	−6.96	−0.01
0.15	0.06	0.14	1.65	0.02	−4.98	−0.01

注：$(F_D)_f$和$(F_L)_f$分别为由流体黏性力引起的摩擦阻力和升力，$(F_D)_p$和$(F_L)_p$为法向压力引起的压差阻力和升力。

由表 6-1 可知，各工况时由流体黏性引起的摩擦阻力和升力均很小，小于压差阻力和升力的 1%。由此可知，法向压力，即动水压力是作用于横置圆筒闸体的主要作用力。在本书中，由黏性力引起的摩擦阻力和升力不计，通过多元回归建立闸下开度 h、上游水深 H 以及圆筒筒径 R 与绕流阻力 F_D 和升力 F_L 之间的关系，以确立水流中横置圆筒闸体表面动水压力的计算方法。

6.1　多元回归分析简介

多元回归分析是研究多个变量之间关系的回归分析方法，是应用极其广泛的一种数据分析方法[160]。通过揭示变量之间内在的关系来反映某种规律，从而预测或控制一个或几个变量的变化[161]。按因变量和自变量的数量对应关系可划分为一个因变量对多个自变量的回归分析及多个因变量对多个自变量的回归分析，按回归模型类型可划分为线性回归分析和非线性回归分析[162]。

线性回归模型就是因变量是自变量的线性函数。通常线性回归分析法是最基本的分析方法，然而线性回归并不能适用所有问题，如因变量和自变量是通过一个已知或未知的非线性函数关系相联系，因此，需利用其中一个变量对另一个变量进行预测。预测可采用的方法很多，从简单的直线到复杂的时间序列模型。本书主要利用曲线估计的方法，在众多的回归模型中确立横置圆筒表面动水压力的计算模型。当回归模型确定之后，利用最小二乘法求出回归模型中的参数值[163]。

6.2 各因素与动水压力之间的关系

为了研究横置圆筒闸体表面动水压力的合力，本书采用最小二乘法分析闸下开度 h、上游水深 H 和筒径 R 等自变量与绕流阻力 F_D 和升力 F_L 之间的关系。

6.2.1 上游水深与绕流阻力和升力之间的关系

在筒径 R 和开度 h 不变的情况下，研究上游水深 H 与绕流阻力和升力之间的变化规律，试验数据见表 6-2。

表 6-2 不同上游水深时绕流阻力和升力模拟值

筒径 R/m	开度 h/m	上游水深 H/m	绕流阻力 F_D/N	升力 F_L/N
0.1	0.05	0.31	142.57	22.31
0.1	0.05	0.32	163.79	23.03
0.1	0.05	0.33	183.30	26.86
0.1	0.05	0.34	208.53	30.20
0.1	0.05	0.35	218.33	35.11
0.1	0.05	0.36	241.38	39.13
0.1	0.05	0.37	257.53	44.62
0.1	0.05	0.38	269.80	51.42
0.1	0.05	0.39	281.58	58.84

应用各数学模型进行曲线估计，图 6-2 为不同模型所得上游水深与绕流阻力和升力之间的关系曲线，所得统计量见表 6-3。

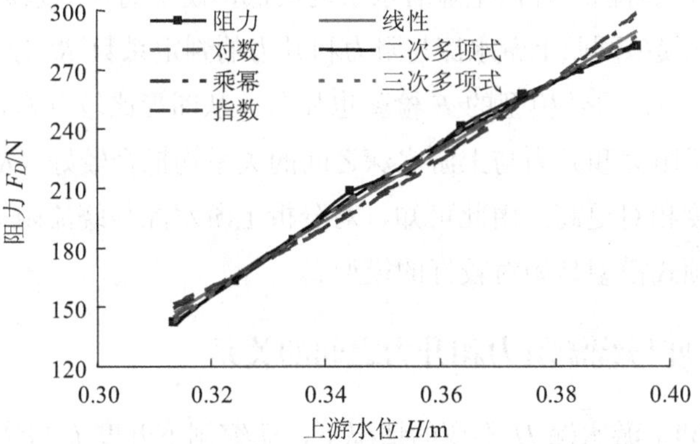

（a）阻力

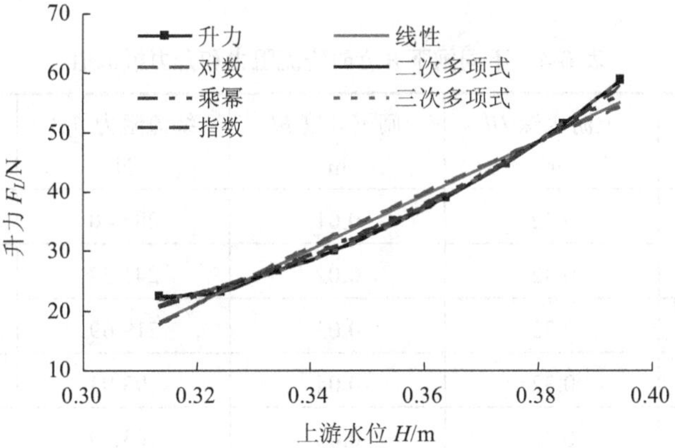

（b）升力

图 6-2　H 与 F_D 和 F_L 关系曲线比较

表 6-3　上游水深数学模型统计量

模型名称	阻力 F_D			升力 F_L		
	判定系数 R^2	F	显著水平	判定系数 R^2	F	显著水平
线性	0.990 1	701.09	2.81×10^{-8}	0.964 6	190.58	2.47×10^{-6}
二次多项式	0.996 8	934.76	3.27×10^{-8}	0.998 7	2 231.91	2.42×10^{-9}
三次多项式	0.997 3	614.51	7.74×10^{-7}	0.998 7	1 258.79	1.29×10^{-7}
乘幂	0.977 9	310.25	4.68×10^{-7}	0.988	574.08	5.61×10^{-8}
对数	0.994 3	1 227.39	4.01×10^{-9}	0.951 7	137.82	7.36×10^{-6}
指数	0.967 8	210.60	1.76×10^{-6}	0.992 7	945.91	9.92×10^{-9}

从表 6-3 可以看出，各模型显著水平均很低，模型的判定系数 R^2 均大于 0.9，采用三次多项式模型回归上游水深与阻力和升力的判定系数 R^2 分别为 0.997 3 和 0.998 7，接近于 1，且该模型的 F 检验也显著。从图形比较分析，二次多项式、三次多项式对于阻力和升力与上游水深之间的关系均拟合较好（R^2 均大于 0.99），三次多项式精度相对更高。由此可知，对分析上游水深与绕流阻力和升力之间的关系，三次多项式模型是相对较好的模型。

6.2.2 闸下开度与绕流阻力和升力之间的关系

在筒径 R 和上游水深 H 不变的情况下，研究闸下开度 h 与绕流阻力 F_D 和升力 F_L 之间的变化规律，试验数据见表 6-4。

表 6-4 不同闸下开度时绕流阻力和升力模拟值

筒径 R/m	上游水深 H/m	闸下开度 h/m	绕流阻力 F_D/N	升力 F_L/N
0.1	0.32	0.01	285.40	58.91
0.1	0.32	0.02	241.57	47.78
0.1	0.32	0.03	219.09	38.10
0.1	0.32	0.04	193.93	32.00
0.1	0.32	0.05	163.79	23.03
0.1	0.32	0.06	170.41	15.34
0.1	0.32	0.07	170.14	2.63

应用不同数学模型进行曲线估计，图 6-3 为不同模型所得闸下开度与绕流阻力和升力之间的关系曲线，各统计量对比见表 6-5。

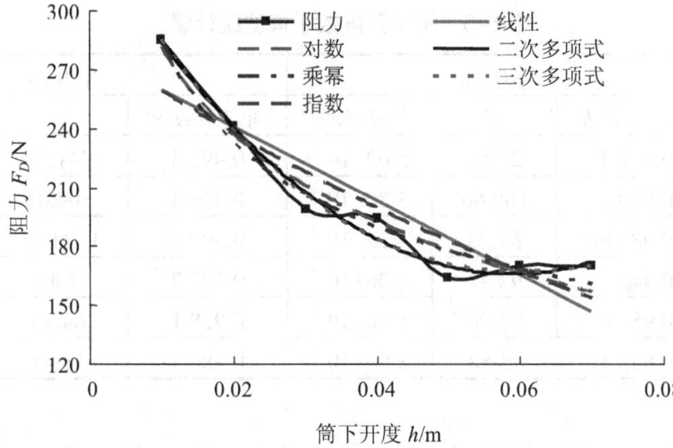

（a）阻力

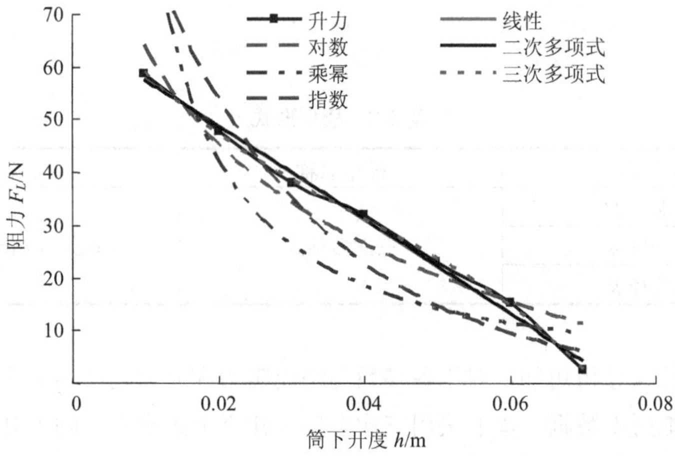

（b）升力

图 6-3　h 与 F_D 和 F_L 关系曲线比较

从分析结果可以看出，各模型显著水平均很低，多数模型的判定系数 R^2 均大于 0.9，采用三次多项式模型回归闸下开度与绕流阻力和升力的判定系数 R^2 分别为 0.981 6 和 0.999 1，最接近于 1，且 F 检验也显著。从图形比较分析可知，二次多项式、三次多项式对闸下开度和绕流阻力与升力之间的关系拟合较好，相对来说采用三次多项式模型吻合程度最高。由此可知，对分析闸下开度与绕流阻力和升力之间的关系，三次多项式模型也是相对较好的模型。

表 6-5 闸下开度数学模型统计量

模型名称	阻力 F_D			升力 F_L		
	判定系数 R^2	F	显著水平	判定系数 R^2	F	显著水平
线性	0.811 7	21.56	5.62×10^{-3}	0.993 3	741.81	1.25×10^{-6}
二次多项式	0.980 5	100.60	3.80×10^{-4}	0.993 4	300.04	4.38×10^{-5}
三次多项式	0.981 6	53.28	4.22×10^{-3}	0.999 1	1 166.29	4.26×10^{-5}
乘幂	0.948 7	92.42	2.06×10^{-4}	0.597 7	7.43	4.15×10^{-2}
对数	0.951 4	97.96	1.80×10^{-4}	0.928 1	64.53	4.83×10^{-4}
指数	0.838 1	25.88	3.81×10^{-3}	0.786 7	18.44	7.75×10^{-3}

综合考虑各参数建立的模型应尽量保持形式一致，因此，对于筒径 R 与绕流阻力 F_D 和升力 F_L 之间的关系同样采用三次多项式模型进行回归分析，如表 6-6 所示。

表 6-6 模型形式

几何参数	模型名称	方程
上游水深 H	三次多项式	$y = ax^3 + bx^2 + cx + d$
闸下开度 h		
圆筒筒径 R		

经以上比较分析可知，对于各参数与绕流阻力和升力之间的关系，三次多项式更符合模拟所得数据。本书采用三次多项式建立上游水深、闸下开度、圆筒筒径与绕流阻力和升力之间的关系。

6.3 量纲分析及其模型确立

通过第 5 章分析可知，影响圆筒闸体表面动水压力的因素主要有：闸下开度 h、上游水深 H 和圆筒筒径 R。因此，横置圆筒绕流阻力 F_D 及其升力 F_L 可表示为

$$F_{D(L)} = f(\rho, g, R, h, H) \tag{6-7}$$

上式中共有 6 个物理量，其中自变量为 5 个，选择 ρ、g、R 三个物理量作为

基本物理量，根据量纲分析基本定律——π 定理[164]，则式（6-7）可用 4 个量纲一的数组成的关系式表达。这些量纲一的数（π）为

$$\pi = \frac{F_{D(L)}}{\rho^x g^y R^z} \tag{6-8}$$

$$\pi_4 = \frac{h}{\rho^{x_1} g^{y_1} R^{z_1}} \tag{6-9}$$

$$\pi_5 = \frac{H}{\rho^{x_2} g^{y_2} R^{z_2}} \tag{6-10}$$

由基本物理量所组成的量纲为一的数均等于 1，即 $\pi_1 = \pi_2 = \pi_3$。因为 π、π_4、π_5 均为量纲一的数，因此，式（6-8）、式（6-9）、式（6-10）右端分子、分母的量纲应当相同，解方程组可得：

$$\pi = \frac{F_{D(L)}}{\rho g R^3} \tag{6-11}$$

$$\pi_4 = \frac{h}{R} \tag{6-12}$$

$$\pi_5 = \frac{H}{R} \tag{6-13}$$

故式（6-7）可写为

$$\frac{F}{\rho g R^3} = f\left(\frac{h}{R}, \frac{H}{R}\right) \tag{6-14}$$

根据模拟所得不同闸下开度、上游水深以及圆筒筒径时，横置圆筒闸体在绕流流场中所受的绕流阻力 F_D 和升力 F_L，得到一系列 $\frac{F_{D(L)}}{\rho g R^3}$、$\frac{h}{R}$ 和 $\frac{H}{R}$ 值，用最小二乘法进行回归分析得到 $\frac{F_{D(L)}}{\rho g R^3}$ 与 $\frac{h}{R}$ 和 $\frac{H}{R}$ 的关系，可化简为

$$\begin{aligned} F_D = \rho g[&-1.23H^3 + 16.77RH^2 - (35.94R^2 - 10.61h^2 + 25.66hR)H + \\ &(21.91R + 15.89h)R^2 + (21.67R - 17.71h)h^2] \end{aligned} \tag{6-15}$$

$$\begin{aligned} F_L = \rho g[&(8.39R - 4.77h)H^2 - (23.1R^2 - 27.07h^2 + 22.15Rh)H + \\ &(13.72R + 17.03h)R^2 + (29.64R - 41.53h)h^2] \end{aligned} \tag{6-16}$$

由二力合成定理，圆筒所受动水压力的合力大小为

$$F_{合} = \sqrt{F_D^2 + F_L^2} \tag{6-17}$$

合力 $F_{合}$ 与水平面的夹角 α 为

$$\alpha = \arctan\frac{F_L}{F_D} \tag{6-18}$$

式中，ρ 为流体密度，kg/m^3；g 为重力加速度，m/s^2；h 为闸下开度，m；H 为上游水深，m；R 为圆筒半径，m。

6.4 模型验证

为了对式（6-15）、式（6-16）进行验证，对各工况圆筒受力进行计算，图 6-4 为不同工况模拟值与计算值相关图，图中横坐标为计算值，纵坐标为模拟值。

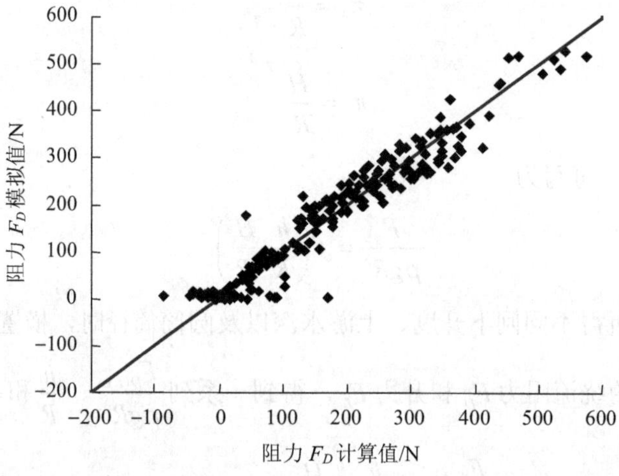

（a）阻力

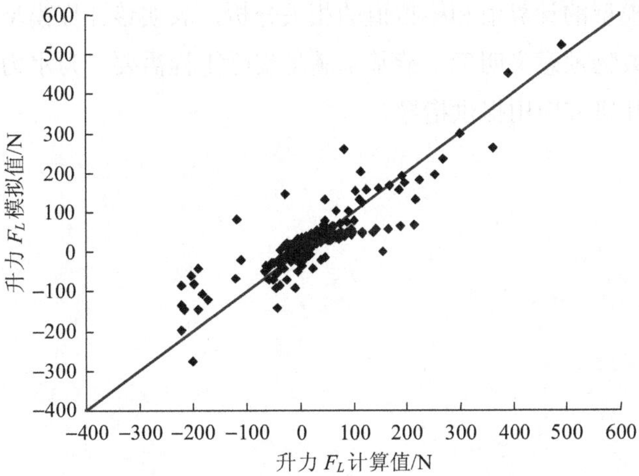

（b）升力

图 6-4　模拟值与计算值相关图

由图 6-4 可知，采用式（6-15）计算所得绕流阻力值与模拟值除个别点外均分布在 $y=x$ 直线附近，精度较高。由式（6-16）计算所得升力值与模拟值部分点偏差相对较大，其主要原因是圆筒闸体下方 ϕ=180°（5 号测压点）处压力脉动不稳定，且该点压力值的大小直接影响圆筒闸体所受垂直与水流方向升力的大小，故使圆筒闸体在垂直方向压力变化不稳定。

综上所述，通过多元回归分析所得圆筒闸体表面动水压力计算公式的计算精度相当，在已知上游水深、闸下开度以及圆筒半径时，即可估算出圆筒闸体所受动水压力的大小，对水力自动滚筒闸门的结构优化设计及其技术研究具有重要的实用价值。

6.5　本章小结

本章利用第 5 章模拟所得不同工况下横置圆筒闸体在绕流流场中所受绕流阻力和升力值，考虑圆筒闸体表面动水压力的影响因素，利用量纲分析、曲线估计的方法，分析了绕流阻力、升力与影响参数之间的函数关系。在考虑各参数函数关系的基础上，选择多元回归方法，建立横置圆筒闸体表面动水压力的回归模型。

通过回归模型的计算值和模拟值的相关分析，表明该计算模型计算结果较为准确，且各参数物理意义明确，能基本满足实际工程需要，为水力自动滚筒闸门的优化设计及其研究应用提供指导。

第 7 章　浊水资源取水建筑物的闸门研究结论与展望

横置圆筒闸体表面的水力学特性是水力自动滚筒闸门设计、研究的前提，本书以多泥沙和高含沙洪水高效利用为出发点，针对新型水力自动滚筒闸门的运行机理，采用模型试验、数值模拟与理论分析相结合的方法，对横置圆筒闸体的水力学特性进行了研究，为水力自动滚筒闸门的设计及进一步深入研究提供了参考，对浊水资源高效利用具有重要的学术价值和现实意义。

7.1 结论

①通过模型试验将水力闸门自动滚动启闭的复杂非定常问题简化为对应上游不同水深、不同闸下开度下的模型试验。通过模型试验，对水流中横置圆筒闸体表面的动水压力进行了测试，获得了圆筒闸体表面的时均压力和脉动压力。讨论了圆筒闸体表面时均压力和脉动压力与闸下开度、上游水深的数学关系。模型试验表明：圆筒闸体迎水面时均压力值均沿圆筒壁面向下呈先增大后减小的趋势，圆筒闸体表面动水压力与压力脉动幅值与上游水深、闸下开度呈正相关，压力脉动主频幅值为 50 Hz。

②利用计算流体动力学软件对横置圆筒闸体绕流流场进行了数值模拟，讨论了模型维数、湍流模型、网格数量以及壁面处理方法对计算结果的影响。在同网格尺度下，三维模型稍优于二维模型，但计算时间远大于二维模型；在相同壁面条件下，利用 RNG k-ε 湍流模型模拟圆筒闸体表面动水压力的模拟值与实测值最

为接近；对同一湍流模型，不同壁面处理方法对结果影响较小，标准壁面函数模拟值与实测值差异最小（其均方差为 0.34）。最终采用二维、RNG k-ε 湍流模型、标准壁面函数处理方法进行了数值模拟计算，并对结果进行了分析。基于非定常流动理论，采用 VOF 两相流模型对横置圆筒闸体绕流流场的自由表面进行跟踪计算，解决了自由表面变化剧烈的明渠水力学问题。得到的不同时刻的相体积分布，与实际水流绕流流场分布较一致，表明 VOF 模型可以很好地跟踪水、气两相流运动的自由表面，有效生成水和气的交界面。

③通过对绕流流场速度场变化分析可知，当闸下开度大于 0 时，圆筒闸体表面各点流速变化趋势大致呈"减小—增大—减小—增大"的"W"形趋势。在ϕ=75°附近流速为极小值点，极值趋近于 0；在圆筒闸体最下方ϕ=180°附近流速达到最大值；在圆筒闸体上、下过流流体交汇点ϕ=225°附近流速再次减小到极小值，且该点附近流速变化较复杂，与模型试验结果相吻合；随着ϕ角的增加，流速又逐渐增大，在ϕ=270°附近达到极大值，随之又呈减小趋势。

当闸下开度为 0 时，0°＜ϕ＜90°区域流速呈减小趋势，在 90°＜ϕ＜180°闸下不过水，流速为 0，与理论相吻合。225°＜ϕ＜360°区域流速沿壁面向上先增大后减小，在ϕ=270°附近达到最大值。

④在圆筒闸体上游，流线分布稀疏且均匀，流速较小，在圆筒闸体附近，流体沿横置圆筒闸体绕流，流线弯曲多变，圆筒闸体上、下方流线变密，流速增大。圆筒闸体下游跌坎处有涡产生，随着闸下开度加大，旋涡区变长。

⑤当闸下开度大于 0 时，闸体表面动水压力呈先增大后减小的"M"形趋势，ϕ=135°附近压力达最大值，随之压力逐渐减小，在圆筒闸体最下方ϕ=180°附近，压力减小到极小值，继而又迅速增加，ϕ=225°附近压力再次达到极大值，225°＜ϕ＜360°区域，压力呈先增大后减小趋势，但增幅较小。当闸下开度为 0 时，圆筒闸体迎水面 0°＜ϕ＜90°区域各点压力沿圆筒壁面向下逐渐增大，ϕ=180°处动水压力产生突变。

⑥当圆筒闸体上下均过水时，闸体迎水面动水压力随闸顶水深的增加而增大；随着闸下开度的加大，圆筒迎水面中心线以上区域各点动水压力逐渐增加，而中心线以下区域各点动水压力，随着开度加大逐渐减小；随着圆筒闸体筒径的增加，中心线以上区域各点压力均逐渐增大，中心线以下区域，随着筒径的

增大逐渐减小。

⑦仅闸下过水时，随着上游水深的增加，圆筒闸体迎水面 $0° < \phi < 135°$区域各点动水压力逐渐增大；圆筒闸体下方 $135° < \phi < 225°$区域各点压力逐渐减小。圆筒闸体迎水面水位以下各点压力随着闸下开度加大逐渐减小，圆筒闸体下方各点动水压力逐渐增大；圆筒闸体迎水面各点动水压力随着筒径的逐渐减小，圆筒闸体下方各点动水压力逐渐增大。

⑧通过表面力的合成、量纲分析、曲线估计的方法，分析了绕流阻力、升力与上下游水深、圆筒闸体半径、闸下开度的函数关系，在考虑各参数函数关系的基础上，建立了横置圆筒闸体表面动水压力的数学模型，通过回归模型计算值与模拟值的相关分析，表明该计算模型计算精度相当，可为水力自动滚筒闸门的研究、浊水资源的高效利用提供指导。

7.2　展望

横置圆筒闸体绕流流动是较复杂的流体动力学现象，流态瞬时变化较大。圆筒闸体表面的水力学特性是水力自动滚筒闸门安全、稳定和高效运行的关键，因此对其进行深入研究，具有重要的实际意义。结合本书的研究成果与不足，建议未来还可从以下几方面作进一步的研究和完善：

①试验条件所限，本书只对水流中固定横置圆筒闸体表面的动水压力进行了测试，分析了横置圆筒闸体表面的动水压力变化，未来有必要对水力自动滚筒闸门原模型进行试验，研究其闸门运行过程中的水力学特性。

②由于时间和精力有限，本书没有对圆筒闸体的压力脉动进行数值模拟研究，建议通过更改边界条件，加大模型尺寸等，对其进行研究，以为闸门的安全运行及其稳定性提供依据。

③本书是在物理模型的基础上进行数值建模，分析各工况时圆筒闸体表面的水力学特性。未来有必要对水力自动滚筒闸门进行原模型数值模拟，以分析闸体在水压力作用下滚动启闭过程中的水力学特性，从而预测分析水力自动滚筒闸门的水动力性能。

④因模型试验条件所限，4 号、5 号点之间没有布置过多的压力传感器，若试验条件允许，应加大模型尺寸，测定 4 号、5 号点区域内压力值，以便同数值模拟结果进行比较，从而验证数学模型的正确性。

参考文献

[1] 朱法君．科学调剂水资源促进区域协调发展[J]．中国水利，2021（11）：19-21.

[2] 王明甫．高含沙水流及泥石流[M]．北京：水利水电出版社，1995.

[3] 蔺秋生．泥沙灾害浅析[J]．水利电力科技，2008（1）：23-27.

[4] 景可，李凤新．泥沙灾害类型及成因机制分析[J]．泥沙研究，2002（5）：12-17.

[5] 赵文林，张红武，潘贤娣．黄河泥沙[M]．郑州：黄河水利出版社，1998.

[6] 文恒，牟献友，赵宇明．多泥沙和高含沙洪水资源的利用[A]//第六届全国泥沙基本理论研究学术会议论文集[C]. 郑州：黄河水利出版社，2005（11）：1155-1162.

[7] 王嗣飞．我国北方中小型水库泥沙淤积治理问题探讨[J]. 中国科技信息，2008（15）：23-25.

[8] 刘艳林．新型水力自控闸门动水压力的研究[D]．呼和浩特：内蒙古农业大学，2008.

[9] 聂源宏，马振海．四零四厂取水枢纽引水防沙试验研究[J]．西北水资源与水工程 2002，13（3）：32-35.

[10] 刘旭东，李贵启．我国低水头引水枢纽引水防沙问题的实践及其试验研究[J]．泥沙研究，1983（2）：45-49.

[11] Litrico X，Belaud G，Baume J.P，et al. Hydraulic modeling of an automatic upstream water-level control gate[J]. Journal of irrigation and drainage engineering，2005，131（2）：176-189.

[12] 赵宇明．高含沙洪水资源中的自控闸门的研究[D]．呼和浩特：内蒙古农业大学，2005.

[13] 李宁霄．不同工况下水力自动滚筒闸门自动控制技术[J]．水利技术监督，2020（3）：164-167.

[14] 郭鹏．不同工况下水力自动滚筒闸门流量特性分析[J]．水利技术监督，2017，25（4）：99-102.

[15] 郑圣义，贾海波，刘欣欣．小开度条件下露顶弧形闸门动水压力计算[J]．人民黄河，2013，35（9）：100-102.

[16] 王延召，田甜，徐国宾，等．弧形闸门面板动水压力计算方法[J]．华中科技大学学报（自然科学版），2021，49（4）：102-107.
[17] 徐洲元．水工弧形闸门的结构布置及三维有限元分析[D]．西安：西安理工大学，2006.
[18] 罗银淼，朱位秋．大型翻板闸门流体激振的双模型试验研究[J]．浙江大学学报，2006，40（8）：1401-1403.
[19] 周经渊．水力自动翻板闸门的研究应用[J]．水力发电学报，2007，26（6）：73-76.
[20] 任广云，王明安，时伯华，等．渐开式翻板门的几个设计问题[J]．水利水电科技进展，1999，19（5）：49-50.
[21] Krot A M，Minervina E B. Fast Fourier Transform algorithms for real and Hermitian-symmetrical sequences[J]. Soviet journal of communications technology & electronics（english translation of radiotekhnika elektronika），1989，34（12）：122.
[22] 侯石华，沈长松，孙学智．水力自动翻板闸门门型发展概述[J]．水利水电科技进展，2003（23）：5-7.
[23] 张礼卫，王改会．水力自动翻板闸门在现代水利中的应用[J]．中国农村水利水电，2005（12）：73-75.
[24] 王静波．浮筒式水力自动控制闸门水力特性试验研究[D]．西安：西安理工大学，2010.
[25] 张有明．低水头弧形闸门振动问题研究[J]．中国水利，2005（5）：42-43，58.
[26] 李旭东，彭晓平．拓扑优化理论在二维深孔弧形闸门设计中的应用研究[J]．西北水电，2008（3）：54-56.
[27] 王好强．平面钢闸门静动力分析与优化设计[D]．南京：河海大学，2006.
[28] 朱召泉，卓家寿，陶桂兰．弧形钢闸门的动力稳定性研究进展[J]．水利水电科技进展，1999，19（5）：27-37.
[29] 贺日平，颜兴亮．上开式扇形闸门箕斗进入卸载曲轨时动态受力分析[J]．煤矿机电，2004（2）：15-18.
[30] P.Townshend．新型全自动溢洪道闸门[J]．水利水电快报，2001，22（18）：16-19.
[31] 肖坚．一体化闸门技术的应用前景[J]．中国水利，2003（9）：43-44.
[32] 闵杰．太阳能闸门启闭机驱动系统研究[D]．武汉：湖北工业大学，2015.
[33] 李宗健，江仪贞，王长德．水力自动闸门[M]．北京：水利电力出版社，1987.
[34] 李利荣，文恒，王福军，等．水力自动滚筒闸门动水压力分模型试验[J]．水利水电科技进展，2009，29（1）：26-30.
[35] 张雪才，谢遵党，陈丽晔，等．弧形钢闸门纵向框架结构合理布置研究[J]．华中科技大学学报（自然科学版）：2021，49（11）：101-106.

[36] 盖浩瑞．运行工况下弧形钢闸门不同底缘型式对比优化研究[J]．水利技术监督，2021（6）：159-161.

[37] 周雄聪．浅谈大跨度翻板闸门的制造技术[J]．广东水利水电，2021（6）：81-85，91.

[38] 李蕊，邸国平．一种新型蜗轮丝杆式空气能翻板闸门的设计[J]．水利技术监督，2020（5）：234-237.

[39] 赵星．水力自控（液控）翻板闸坝在河道景观工程中的应用[J]．农业科技与信息，2020（2）：106-109，117.

[40] 李利荣，王顺．自动滚筒闸门脉动压力特性试验研究[J]．人民黄河，2018，40（11）：110-114.

[41] 李利荣．自动滚筒闸门水动力特性实验研究与数值模拟[J]．中国农村水利水电，2018（8）：160-165，175.

[42] 李昊，张园，文恒．水力自动滚筒闸门振动特性的数值模拟及试验研究[J]．水利学报，2015，46（11）：1360-1370.

[43] 许韬．水力自动滚筒闸门的水力特性研究[D]．咸阳：西北农林科技大学，2015.

[44] 李昊，张园，文恒．水力自动滚筒闸门振动特性的试验研究[J]．内蒙古大学学报（自然科学版），2015，46（1）：97-102.

[45] 孙东坡，杨慧丽，张小松，等．桥墩冲刷的三维流场测量与数值模拟[J]．水科学进展，2007，18（5）：712-716.

[46] 孙德军，胡国辉，尹协远，等．圆柱绕流低维 Galerkin 方法的推广[J]．中国科学技术大学学报，1997，27（3）：266-272.

[47] Graw C M.，et al. Dynamic surface pressure measurements on a square cylinder with pressure sensitive paint[J]. Experiments in fluids，2006，40（2）：203-211.

[48] Durao D F，Plesniak M W，Braun J C. The effects of turbulence and periodic flows around a square cross section cylinder[J]. Experiments in fluids，1988，6：298-304.

[49] 王远成，吴文权．方柱绕流流场的 RNG 方法模拟研究[J]．水动力学研究与进展，2004（12）：917-920.

[50] 庞永杰，贺敬席，戴捷，等．水下运动物体在相互接近过程中的水动力计算[J]．船舶工程，1997（5）：8-10.

[51] 程丽，罗庆杰，张亮，等．三维钝体的近壁面受力[J]．水动力学研究与进展[J]．2008，23（2）：150-157.

[52] 罗庆杰．物体近壁运动水动力干扰数值模拟[D]．哈尔滨：哈尔滨工程大学，2005.

[53] GAO Q X. Numerical simulation of free surface flow around ship hull[J]. Journal of ship mechanics，2002，6（3）：1-13.

[54] 曾一非，朱继懋．水下运动物体间相互作用力的计算探讨[J]．海洋工程，1994，12（2）：40-48.
[55] 周易．弧形闸门不同底缘型式下水力特性试验研究[D]．泰安：山东农业大学，2020.
[56] 张政．对开斜立轴式水力自控闸门水流特性研究[D]．泰安：山东农业大学，2020.
[57] 冯健．轨道式水力自动闸门水流特性及泄流能力研究[D]．泰安：山东农业大学，2020.
[58] 刘儒勋，舒其望．计算流体动力学的若干新方法[M]．北京：科学出版社，2003.
[59] 陈彩霞，夏梓洪．计算流体动力学基础与多相流模拟应用[M]．北京：科学出版社，2021.
[60] John D A，J R. Computational fluid dynamics the basic with applications[M]．北京：清华大学出版社，2006.
[61] 刘刚．基于水气两相流理论的高坝泄洪雾化计算研究[D]．宜昌：三峡大学，2020.
[62] Hur D S，Miutani N，Kim D S. Direct 3-D numerical simulation of wave forces on asymmetric structures[J]. Coastal Engineerin，2004，51（5）：407-420.
[63] 陈永明．带复杂自由表面的泄水建筑物紊流场的数值模拟[D]．扬州：扬州大学，2006.
[64] 于芬芬．摇臂式喷头外部流动数值模拟与试验研究[D]．北京：中国农业大学，2008.
[65] Wallis G B，Hill M G. One dimensional two-phase flow[M]. E Ehodes and D S Scott Plenum Press，1969.
[66] Ardrom K H. One-dimensional two-fluid equations for horizontal stratified two-phase flow[J]. International journal of multiphase flow，1980，6（4）：511-530.
[67] 阎昌琪．气液两相流（第 3 版）[M]．哈尔滨：哈尔滨工业大学出版社，2017.
[68] 郭烈锦．两相与多相流动力学[M]．西安：西安交通大学出版社，2002.
[69] 刘全，水鸿寿．等．数值模拟界面流方法进展[J]．力学进展，2002（2）：259-274.
[70] Lline A，Lopez D. Two-fluid model wavy separated two-phase flow[J]. International journal of multiphase flow，1997，23（6）：363-368.
[71] Tiselj I，Petelin S. First and second-order[J]. Fluid Engineering，1998，120（2）：363-368.
[72] Maronnier V，Picasso M，Rappaz J. Numerical simulation of free surface[J]. Journal of computational physics，1999，155（2）：439-455.
[73] 刘国栋．气液两相流体动力学[M]．哈尔滨：哈尔滨工业大学出版社，2021.
[74] Parsons I D，Coutinho A G A. Finite element multigrid method for two phase immiscible flow in hetero geneous media[J]. Communications in numerical method in engineering，1999，15（1）：1-7.
[75] 陈群．阶梯溢流坝紊流数值模拟及试验研究[D]．成都：四川大学，2001.
[76] 陈永明．带复杂自由表面的泄水建筑物紊流场的数值模拟[D]．扬州：扬州大学，2006.

[77] 张健，方杰，范波芹．VOF 方法理论与应用综述[J]．水利水电科技进展，2005，25（2）：67-70.

[78] 符传君，练继建．溃坝水流在复杂河道中传播的三维数值模拟[J]．水利学报，2007，30（10）：1151-1157.

[79] 戴会超，王玲玲．淹没水跃的数值模拟[J]．水科学进展，2004，15（2）：184-188.

[80] 张栋．某水利工程的泄洪消能与掺气减蚀研究[D]．大连：大连理工大学，2019.

[81] 陈为博，杨敏．用 VOF 方法数值模拟溢流堰流场[J]．水利水运工程学报，2004（4）：42-45.

[82] 王洪庆．泄洪洞的紊流数值模拟及试验研究[D]．咸阳：西北农林科技大学，2006.

[83] Inigo J L，Javier L L. Raul G. Numerical analysis of wave overtopping of rubble mound breakwaters[J].Coastal Engineering，2007，55（1）：47-62.

[84] 李志勤，李洪，李嘉，等．溢流丁坝附近自由水面的试验研究与数值模拟[J]．水利学报，2003（8）：53-57.

[85] 李福田，刘沛清，马宝峰．高拱坝宽尾墩三维流场数值模拟[J]．水科学进展，2005，16（2）：185-188.

[86] Christakis N，Allsop N W H，Cooper A J，et al. A volume of fluid numerical model for wave impacts at coastal structures[J]. Proceedings of the institution of civil engineers：water and maritime engineering，2002，154（3）：159-168.

[87] 洪方文．自由面附近运动物体流场的数值与试验研究[D]．北京：中国船舶科学研究中心，2001.

[88] 廖翠林．大型混流式水轮机水力稳定性研究[D]．北京：中国农业大学，2008.

[89] 傅德薰．流体力学数值模拟[M]．北京：国防工业出版社，1993.

[90] 苏铭德，黄素逸．计算流体力学基础[M]．北京：清华大学出版社，1997.

[91] John D A，J R. Computational fluid dynamics the basic with applications[M]．北京：清华大学出版社，2006.

[92] 李福田，倪浩情．工程湍流模式的研究开发及其应用[J]．水利学报，2005（5）：23-31.

[93] 王文娥．迷宫滴头内部流动的动力学特性研究[D]．北京：中国农业大学，2007.

[94] Versteeg H K，Malalasekera W. An Introduction to computational fluid dynamics：the finite volume method[M]. Wiley，New York，1995.

[95] Trias F X，Soria M，Pérez-Segarra C D. DNS of 3D turbulent natural convection flows using low cost parallel computers[C]. AIAA Paper，42nd AIAA Aerospace Sciences Meeting and Exhibit，2004：5823-5833.

[96] 黎耀军．水翼动力学特性与轴流泵水力性能优化研究[D]．北京：中国农业大学，2006.

[97] 张勇，钟诚文．基于 Lattice Boltzmann 方法的翼型绕流数值模拟[J]．航空计算技术，2006，36（3）：111-114.

[98] 王福军．计算流体动力学分析——CFD 软件原理与应用[M]．北京：清华大学出版社，2004.

[99] Smagorinsky J. General circulation experiments with the primitive equations-I-the basic experiment[J]. Monthly weather review，1963，91（3）：99-164.

[100] Deardorff J W. A numerical study of three-dimensional turbulent channel flow at large Reynolds numbers[J]. Journal of fluid Mechanics，1970，41（2）：453-480.

[101] 郭志远，虞培祥，欧阳华．基于大涡模拟的圆柱绕流剪切层不稳定性[J]．上海交通大学学报，2021，55（8）：924-933.

[102] Liu X B，Zeng Y Z. Numerical prediction of vortex flow in hydraulic turbine draft tube for LES[J]. Journal of Hydrodynamics，2005，17（4）：448-454.

[103] Qian Z D，Yang J D. Comparison of numerical simulation of pressure pulsation in Francis hydraulic turbine by different turbulence models[J]. Shuili fadian xuebao/Journal of hydroelectric engineering，2007，26（6）：111-115.

[104] Wang W Q，Zhang L X，Yan Y，et al. Large-eddy simulation of turbulent flow considering inflow wakes in a Francis turbine blade passage[J]. Journal of Hydrodynamics，2007，19（2）：201-209.

[105] 吴长鹏．导流罩对轻型厢式货车启动特性的影响[D]．长春：吉林大学，2005.

[106] 胡可欣，王青松，苏欣荣，等．顺压梯度环境下成型孔气膜冷却射流的大涡模拟[J/OL]．热能动力工程，2021，36（9）：146-153.

[107] 李赫飞，郑群，姜斌，等．基于大涡模拟及实验的压气机叶栅角区分离研究[J/OL]．热能动力工程，2021（9）：117-125，131.

[108] Li X Z，Ya K G，Wen Q. Large eddy simulation of turbulent flow in a true 3D Francis hydroturbine passage with dynamical fluid–structure interaction[J]. Internationa journal for numerical methods in fluids，2006，54（5）：517-541.

[109] 付娜．既有涵洞下游修建水库对涵洞的影响[D]．成都：西南交通大学，2008.

[110] 周正富．无锡市九里河水利枢纽泵站近处水流道优化研究[D]．扬州：扬州大学，2006.

[111] 涂佳黄，王程，等．亚临界雷诺数下串列三圆柱体绕流特性研究[J]．船舶力学，2021，25（9）：1159-1171.

[112] 王海松．轴流泵 CAD-CFD 综合特性研究[D]．北京：中国农业大学，2005.

[113] Carajilescov P，Todreas N E. Experimental and analytical study of axial turbulent flows in an interior subchannel of a bare rod bundle[J]. ASME Journal of Heat Transfer，1976（98）：

262-268.

[114] Chou P Y. On the velocity correlations and the equations of turbulent vorticity fluctuation[J]. Quarterly of applied mathematics，1945（1）：33-54.

[115] 陶文铨．数值传热学（第二版）[M]．西安：西安交通大学出版社，2001.

[116] 黄志新．卧螺离心机螺旋输送器结构/强度及其转鼓内的流场研究[D]．北京：北京化工大学，2007.

[117] 白桦．塔桅结构风荷载的数值模拟研究[D]．西安：长安大学，2006.

[118] Farouk B，Guceri S I. Laminar and turbulent natural convection in the annulus between horizontal concentric cylinders[J]. ASME journal of heat transfer，1982，104（4）：631-636.

[119] 阮涛．三次风中超细煤粉浓缩方法研究[D]．杭州：浙江大学，2006.

[120] Yakhot V，Orszag S A. Renormalization group analysis of turbulence：basic theory[J].Journal of scientific computing，1986，1（1）：1-11.

[121] Yakhot V，Orszag S A，Thangam S，et al. Development of turbulence models for shear flows by a double expansion technique[J]. Physics of fluids a，1992，4（7）：1510-1520.

[122] 李玲，李玉梁．应用基于 RNG 方法的湍流模型数值模拟顿体绕流的湍流流动[J]．水科学进展，2005，11（4）：357-361.

[123] 李福田，刘沛清，马宝峰．高拱坝宽尾墩三维流场数值模拟[J]．水科学进展，2005，16（2）：185-188.

[124] 侯树强．离心式通风机内部流场的数值模拟[D]．杭州：浙江大学，2006.

[125] 曾攀．圆柱涡激振动特性的数值模拟研究[D]．天津：天津大学，2018.

[126] 章欣雄，董曾南．黏性流体力学[M]．北京：清华大学出版社，1998.

[127] 陶文铨．计算传热学的近代进展[M]．北京：科学出版社，2000.

[128] 王敞亮．CFD 控制方程中有限差分法的分析[J]．中国新通信，2019，21（9）：149-150.

[129] 陈赟．闸门流激振动及水流流态数值模拟研究[D]．郑州：郑州大学，2019.

[130] 沈亚男，蒋明镜，奚邦禄．基于有限体积法的三维 CFD-DEM 耦合方法[J]．水资源与水工程学报，2017，28（2）：126-132.

[131] 兰波．垫升平台水动力性能的 CFD 计算[D]．哈尔滨：哈尔滨工程大学，2006.

[132] 叶楠．室内三种通风方式气流组织和空气品质研究[D]．淮南：安徽理工大学，2006.

[133] Fletcher C A J. Computational technology for fluid dynamics：specific techniques for different flow categories.Springer-Verlag，1988（2）：1-20.

[134] Robin R，Bernard P，Frank T. An application of the vorticity-vector potential menthod to laminar cube flow[J]. International journal for numerical methods in fluids，1990，10（8）：

875-888.

[135] Chorin A J. Numerical solution of the N-S equations[J]. Mathematics of computation，1968，22（4）：745-762.

[136] 绍磊．同流环境中多孔热水紊动射流特性数值模拟研究[D]．西安：西安理工大学，2008.

[137] Patankar S V，Spalding D B. A calculation procedure for heat，mass and momentum transfer in three-dimensional parabolic flows[J]. Internal journal of heat mass transfer，1972，15（10）：1787-1806.

[138] Patankar S V. Numerical heat transfer and fluid flow[M]. Hemishpere，Washington，DC，1980.

[139] Doormaal J P，Raithby G D. Enhancement of the SIMPLE method for predicting incompressible fluid flows[J]. Numerical heat transfer，1984，7（2）：147-163.

[140] Issa R I. Solution of implicitly discretized fluid flow equations by operator splitting[J]. Journal of computational physics，1986，62（7）：40-65.

[141] Vinay R. Gopala，Berend GM. van Wachem. Volume of fluid methods for immiscible-fluid and free-surface flows[J]. Chemical engineering journal，2008，141（1）：204-221.

[142] 李玲，陈永灿，李永红．三维 VOF 模型及其在溢洪道水流计算中的应用[J]．水力发电学报，2007，26（2）：83-87.

[143] 杜鹃．利用三维 VOF 模型模拟消能池的淹没水跃[J]．中国科技信息，2008（2）：270-271.

[144] 李谊乐，刘应中，缪国平．二阶精度的 VOF 自由面追踪方法及其应用[J]．船舶力学，1999，3（1）：44-52.

[145] 刁明军．高坝大流量泄洪消能数值模拟及实验研究[D]．成都：四川大学，2004.

[146] Youngs D L. Time-dependent multi-material flow with large fluid distortion[M]. In K. W. Morton and M J Baines，editors，Numerical methods for fluid dynamics. Academic Press，1982.

[147] 刘长宝．水力自动翻板闸门脉动压力对闸门结构及泄流量的影响分析研究[D]．南京：河海大学，2007.

[148] Krot A M，Minervina E B. Fast fourier transform algorithms for real and hermitian-symmetrical sequences[J]. Soviet journal of communications technology & electronics（English translation of radiotekhnikal elektronika），1989，34（12）：122-129.

[149] 焦修明．弧形闸门动力特性及流激振动[D]．武汉：武汉大学，2006.

[150] Shen Y M，Ng C O，Zheng Y H. Simulation of wave propagation over a submerged bar using the VOF method with a two-equation k-epsilon turbulence modeling[J]. Ocean engineering，

2004，31（1）：87-95.

[151] 王宏伟．机翼非定常特性与直叶水轮机水动力性能分析[D]．哈尔滨：哈尔滨工程大学，2006.

[152] 李福田，倪浩清．工程湍流模式的研究开发及其应用[J]．水利学报，2001（5）：22-30.

[153] 郭永涛，徐弘一．基于方、矩形环管直接数值模拟结果的各向异性 RANS 湍流模型构建[J]．复旦学报（自然科学版），2019，58（1）：1-13.

[154] Shin Hyung Rhee,et al. Assessment of the volume of fluid method for free-surface wave flow[J]. Journal of marine science and technology，2005，10（4）：173-180.

[155] 修荣荣，叙明海，黄善波，等．网格单元形状对数值计算的影响[J]．工程热物理学报，2004，25（2）：317-319.

[156] 陈群，戴光清，刘浩吾．带有曲线自由水面的阶梯溢流坝面流场的数值模拟[J]．水利学报，2002（9）：20-26.

[157] 贾文洁，胡春光，郭良平，等．近壁面网格尺寸对湍流计算的影响[J]．北京理工大学学报，2006，26（5）：388-392.

[158] 王瑞金，张凯，王刚．Fluent 技术基础与应用实例[M]．北京：清华大学出版社，2007.

[159] 朱建平．应用多元统计分析（第四版）[M]．北京：科学出版社，2021.

[160] 周明华．MATLAB 使用教程[M]．杭州：浙江大学出版社，2021.

[161] 韩明．多元统计分析：从数据到结论[M]．上海：上海财经大学出版社，2016.

[162] 邓燕萍，周波，刘玉君，等．实验数据数学建模方法研究[J]．造船技术，2006（3）：19-22.

[163] 黄儒钦．水力学[M]．成都：西南交通大学出版社，2021.

[164] 高光发．量纲分析基础[M]．北京：科学出版社，2021.

后　记

本书是黄河流域浊水资源高效利用实践的理论概括和前期研究成果的系统总结。实践表明，浊水资源利用存在较大潜力，该研究对有效利用浊水资源，缓解流域水资源供需矛盾，促进流域高质量发展，改善流域生态环境，具有重要的现实意义和实践价值。本书的出版，将进一步丰富流域洪水资源利用的内涵，拓展和完善流域洪水资源利用的理论框架和技术体系，也为我国西北干旱、半干旱地区洪水资源利用提供了有益启示和成功示范。

本书的出版得到了内蒙古农业大学的大力支持，在此表示衷心感谢。本书的出版得到"通辽市科左中旗苏打盐碱化耕地改良技术模式研究与监测评价"（项目编号 202076）项目的资助，在此一并表示感谢。

影响自动滚筒闸门在浊水资源中的安全运行的因素较多，鉴于基础设施、试验条件、个人能力等原因，本书对提高浊水资源利用效率的水力自动滚筒闸门设想，开展了基础研究。模型试验方面还应进行滚动闸体在浊水环境条件下的受力特性研究，数值模拟方面还应进行三维动网格计算，对滚动闸体流场及力学特性展开全方位研究。

作　者

2021 年 10 月于呼和浩特